Collection Droit et Criminologie
dirigée par Jean-Paul Brodeur

Déjà parus dans la même collection :

Maurice Cusson
Délinquants pourquoi ?

Marc Le Blanc
Boscoville : la rééducation évaluée

Jean-Paul Brodeur
La Délinquance de l'ordre

René Joyal
Les Enfants, la société et l'État au Québec, 1608-1989. Jalons

La délinquance, une vie choisie

Maurice Cusson

La délinquance, une vie choisie

Entre plaisir et crime

Catalogage avant publication de Bibliothèque et Archives Canada

Cusson, Maurice, 1942-

La délinquance, une vie choisie : entre plaisir et crime
Comprend des réf. bibliogr.
ISBN 2-89428-820-4

1. Criminologie. 2. Comportement criminel. 3. Criminels - Attitudes. 4. Jeunes délinquants - Attitudes. 5. Violence — Aspect social. 6. Criminalité — aspect sociologique. I. Titre. II. Collection : Cahiers du Québec ; CQ143. III. Collection : Cahiers du Québec. Collection Droit et criminologie.

HV6026.F7C878 2005 364 C2005-940866-9

Les Éditions Hurtubise HMH bénéficient du soutien financier des institutions suivantes pour leurs activités d'édition :

- Conseil des Arts du Canada
- Gouvernement du Canada par l'entremise du Programme d'aide au développement de l'industrie de l'édition (PADIÉ)
- Société de développement des entreprises culturelles au Québec (SODEC)
- Programme de crédit d'impôt pour l'édition de livres du gouvernement du Québec

Maquette de la couverture : Olivier Lasser

Illustration de la couverture : Philippe Béha

Maquette intérieure et mise en page : Guy Verville (typographie TEX)

Éditions Hurtubise HMH ltée
1815, avenue De Lorimier
Montréal (Québec) H2K 3W6
Tél. : (514) 523-1523

Distribution en France :
Librairie du Québec / DNM
30, rue Gay-Lussac
75005 Paris FRANCE
liquebec@noos.fr

ISBN : 2-89428-820-4

Dépôt légal : 2e trimestre 2005
Bibliothèque nationale du Canada
Bibliothèque nationale du Québec

Imprimé au Canada

www.hurtubisehmh.com

Soies larron, ravis ou pilles :
Où en vas l'acquêt, que cuidez ?
Tout aux tavernes et aux filles.

François Villon
Balade de bonne doctrine
à ceux de mauvaise vie

Du même auteur

La Resocialisation du jeune délinquant, Montréal, Presses de l'Université de Montréal, 1974.

Délinquants pourquoi ?, Montréal/Paris, Hurtubise HMH/Armand Colin, 1981 (Réédition dans la Bibliothèque québécoise, 1989).

Le Contrôle social du crime, Paris, Presses Universitaires de France, 1983.

Pourquoi punir ?, Paris, Dalloz, 1987.

Croissance et décroissance du crime, Paris, Presses Universitaires de France, 1990.

Criminologie actuelle, Paris, Presses Universitaires de France, 1998.

Prévenir la délinquance : les méthodes efficaces, Paris, Presses Universitaires de France, 2002.

La Criminologie, 4e éd., Paris, Hachette, 2005.

Ouvrages collectifs

En collaboration avec J. Proulx, et M. Ouimet, dir., *Les Violences criminelles*, Québec, Presses de l'Université Laval, 1999.

En collaboration avec J. Proulx, É. Beauregard et A. Nicole, dir., *Les Meurtriers sexuels*, Montréal, Presses de l'Université de Montréal, 2005.

Table des matières

◇ DEUXIÈME PARTIE ◇

Un solde positif

◇ TROISIÈME PARTIE ◇

Le milieu criminel accélérateur de la violence

◇ QUATRIÈME PARTIE ◇

Les trajectoires

◇ CINQUIÈME PARTIE ◇

Conclusion

Remerciements

Il y a quelques années, mon collègue et ami André Lemaître de l'Université de Liège me dit : « Mes étudiants apprécient votre *Délinquants pourquoi ?* Vous devriez en publier une nouvelle édition mise à jour. » L'idée me parut excellente. C'est en 1981 que *Délinquants pourquoi ?* paraissait pour la première fois. Le livre a ensuite été édité en livre de poche et il continue de se vendre. Je me mis au travail. Cependant, l'abondance et la qualité des travaux publiés depuis vingt ans sur le sujet me conduisirent à écrire un livre complètement nouveau.

Nul ne peut rêver d'un milieu intellectuel aussi stimulant que l'Université de Montréal pour écrire un livre sur la délinquance. Tous les ans, de nouvelles recherches y sont lancées. Elles nous alimentent sans cesse de données empiriques. De véritables découvertes sortent des efforts conjugués des professeurs et des étudiants. De nouvelles questions sont posées. Les hypothèses y sont chaudement débattues. J'ai eu la chance d'être plongé dans ce milieu effervescent et j'y ai trouvé des réponses à maintes questions qui me taraudaient. Je savais que la délinquance peut être une activité amusante mais, pour autant, le crime paie-t-il ? Mes collègues Pierre Tremblay et Carlo Morselli se sont attaqués à cette question avec quelques étudiants parmi lesquels se trouvaient Clément Robitaille et Mathieu Charest. Certaines de leurs découvertes, que je rapporte ici, pourraient bien révolutionner la criminologie. Les délinquants sexuels sont-ils vraiment différents des autres délinquants ? Jean Proulx avait lancé un important programme de recherche sur les agresseurs sexuels. Avec Éric Beauregard, Patrick Lussier et Alexandre Nicole — pour ne nommer que ceux-là — ils ont accumulé une riche moisson de faits. J'ai eu la chance d'être associé à leurs travaux et j'ai obtenu réponse à ma question et à plusieurs autres. Quelles sont les relations entre la fréquence et la gravité des infractions ? Pourquoi arrive-t-il à des délinquants qui s'en tenaient à des délits mineurs de perpétrer un crime grave ? Au fil de longues et persévérantes recherches, Marc Le Blanc avait accumulé de nombreuses données pertinentes. L'analyse de ces données a permis à François Gagnon d'établir des faits essentiels pour nous faire avancer vers la solution du problème. Quelle est la contribution spécifique des bandes et du milieu criminel à la violence ? Ma démonstration puise sans vergogne dans les travaux d'Éric Lacourse et de Carlo Morselli. Quelle est l'origine de la violence criminelle ? Les très importantes recherches menées par Richard Tremblay sur l'émergence et l'évolution de la violence au cours de l'enfance m'ont conduit à repenser de fond en comble le problème des trajectoires criminelles.

Pendant la gestation de cet ouvrage, quelques interlocuteurs privilégiés m'ont interpellé, éclairé et informé. Ils ont lu et critiqué mes textes. J'ai lu les leurs, toujours avec profit. Jean-Paul Brodeur a réussi à jeter le doute dans mon esprit. Ron Clarke m'a aidé à voir la fécondité théorique et pratique de l'hypothèse de la rationalité. Les intuitions fulgurantes de Marcus Felson m'ont été indispensables. De Raymond Gassin, qui a gardé allumée la flamme de la criminologie française, je retiens l'érudition et l'éclectisme. Jean Proulx m'a fait mieux comprendre la psychologie du délinquant et le monde de l'agresseur sexuel. Denis Szabo m'a ouvert à de larges pans du monde des idées. Pierre Tremblay m'a fait découvrir comment les délinquants réussissent à être efficaces.

On le voit, cet ouvrage doit beaucoup à la communauté des chercheurs — de Montréal et d'ailleurs — qui s'attachent à résoudre l'énigme de la délinquance. Je me suis nourri des résultats de leurs recherches. J'ai aussi été stimulé par les controverses qui agitent cette communauté sans frontière. Je remercie tous les collègues et tous les étudiants sans lesquels ce livre ne serait pas ce qu'il est. Cela dit, je sais qu'ils ne seront pas toujours d'accord avec mes interprétations. De beaux débats en perspective !

C'est à Suzanne que je dois le titre de ce livre. Avec lucidité et sévérité, elle a passé le manuscrit au crible. Ce qu'elle a trouvé de phrases bancales, de longueurs, d'obscurités, de démonstrations incomplètes ! Je n'ai pas eu le choix : il m'a fallu entreprendre un gros travail de réécriture. Le produit fini en sort considérablement amélioré.

La direction et mes collègues de l'Université de Montréal m'ont généreusement accordé un nouveau congé sabbatique, ce qui m'a permis de boucler une première ébauche de cet ouvrage. Je leur exprime toute ma gratitude.

Introduction

PARTOUT OÙ LA DISTRIBUTION de la délinquance est convenablement calculée, les chercheurs repèrent un petit nombre de délinquants très actifs posant à leur entourage des problèmes qu'il serait inconséquent de sous-estimer. Le grand nombre d'infractions commises par ces individus empoisonnent la vie des gens et servent de vecteur au sentiment d'insécurité. En multipliant vols, méfaits et incivilités, ils propagent la méfiance et affaiblissent le lien social. Ils forcent leurs victimes les plus vulnérables à s'isoler et à se replier sur elles-mêmes. Quand ils s'incrustent dans un microterritoire, par exemple un parc, un bar, un hall d'immeuble, ils confisquent le lieu, chassent ou terrorisent quiconque s'objecte à leurs agissements. Les hommes politiques qui sous-estiment leur pouvoir de nuisance et de scandale le font à leurs risques et périls. C'est dans les rangs de ces délinquants actifs que les organisations criminelles recrutent leurs hommes de main. La plupart des violeurs et des meurtriers ont commencé leur carrière criminelle en accumulant les délits contre la propriété, et cela inclut certains des criminels les plus odieux de notre époque, comme Marc Dutroux. Cette minorité forme l'armée de réserve de la grande criminalité.

Il est indiscutable qu'un petit pourcentage d'individus au sein de la population générale se rend coupable d'une quantité de délits et crimes hors de proportion avec son importance numérique. Cette découverte, que nous devons à Wolfgang et ses collaborateurs (1972), avait frappé les criminologues. Les confirmations n'ont pas manqué, notamment dans le monde francophone.

À Montréal, 5 % d'un échantillon représentatif d'adolescents se rendent coupables de 60 % des délits connus de la police commis dans cet échantillon, de 50 % des infractions et de 65 % des crimes violents avoués par les répondants. Cette minorité se distingue aussi par une activité délictueuse diversifiée, quelquefois étalée sur plus de dix ans (Le Blanc 2003 : 387-388). En France, Roché publie, en 2001, les résultats d'une enquête par questionnaire soumis à un échantillon de 2 288 écoliers de 13-19 ans habitant Grenoble et Saint-Étienne. Il constate que 5 % de ces écoliers — qu'il appelle délinquants suractifs — s'avouent les auteurs de 48 % des petits délits et de 86 % des délits graves avoués par tous les répondants (p. 52). En Suisse, 8 % des 20 000 recrues du service militaire reconnaissent avoir commis 57 % des délits avoués par ces 20 000 recrues, 70 % des infractions violentes et 80 % des agressions sexuelles (Haas 2001 : 232).

Des pourcentages remarquablement semblables ont aussi été calculés, par Farrington (2003) en Angleterre, par Wikström (1985) en Suède et, en Nouvelle-Zélande, par Moffit et ses collaborateurs (2002).

La fréquence des délits dans une population se distribue sur une échelle. À l'une de ses extrémités, se presse la foule des gens qui se laissent aller à de très occasionnelles fautes, puis, en direction du pôle opposé, nous comptons des nombres décroissants d'individus qui commettent des délits en nombres croissants. Progressivement, nous glissons des occasionnels aux délinquants actifs puis aux suractifs. Impossible de les distinguer autrement que par des différences de degré. Cela signifie que la décision d'isoler dans une population un pourcentage de 5 % ou de 8 % des délinquants les plus actifs contient une part d'arbitraire, mais c'est un bon moyen d'illustrer la forte concentration du nombre d'infractions chez un petit nombre d'individus.

Dans ce livre, le mot délinquant servira à désigner simplement les adolescents et les adultes qui commettent plus de délits que les autres. Et les termes délinquants suractifs, persistants ou invétérés viseront la minorité des jeunes gens qui, pendant une période de leur vie, se rendent responsables d'environ la moitié de tous les délits et de la majorité des crimes commis au sein de leur groupe d'âge.

Il est connu que les délinquants suractifs n'ont pas tendance à se spécialiser. La plupart, au contraire, sont versatiles, alternant d'un type de délit à un autre. Autre caractéristique, ils commencent tôt à commettre des délits et finissent tard. C'est la raison pour laquelle on les appelle aussi « délinquants persistants ».

La fréquence des délits, leur diversité et la persistance de la délinquance sont des variables étroitement associées les unes aux autres. Cela veut dire que plus un individu commet de délits, plus ceux-ci sont variés et plus sa trajectoire criminelle a tendance à être longue.

Cependant, la gravité des infractions paraît varier indépendamment de leur fréquence. Dans un groupe de 417 jeunes gens de Montréal qui, à l'adolescence, avaient commis des délits et eu des démêlés avec la justice, Gagnon (2004) calcule que la corrélation entre la fréquence de leurs infractions et leur gravité moyenne est pratiquement nulle (0,02). En d'autres termes, il ne trouve pas de rapport statistique entre la fréquence et la gravité moyenne des délits commis par les délinquants. Deux catégories d'individus affaiblissent la corrélation entre la fréquence et la gravité. Nous trouvons d'abord les délinquants qui, d'un côté, commettent de très nombreux petits délits et qui, de l'autre, jamais n'iront jusqu'à commettre un crime grave. À l'autre extrémité de la distribution, se trouvent les individus dépourvus d'antécédents criminels, mais conduits par les circonstances à commettre un crime très grave, par exemple un homicide au cours d'une bagarre.

Une recherche américaine portant sur un gros échantillon représentatif nous apprend que les « criminels violents » commettent beaucoup moins de crimes graves et violents que d'infractions de faible ou moyenne gravité. Elliott (1994), qui a fait cette découverte, avait identifié une catégorie de sujets formant 4,5 % de tout son échantillon ayant commis au moins trois actes violents graves (viol, vol avec violence, agression avec l'intention de tuer ou de blesser sérieusement). Ces individus étaient responsables de 83 % des délits les plus graves perpétrés dans tout l'échantillon. Cependant, seulement 4 % de toutes les infractions en tous genres commis par cette minorité étaient des violences graves. En d'autres termes, ces criminels violents commettaient énormément plus de délits de médiocre gravité que d'actes graves.

Ce qui vaut pour les auteurs de violence grave vaut à plus forte raison pour les délinquants suractifs : d'un côté, ils commettent beaucoup plus de crimes graves que tout autre groupe de délinquants, de l'autre, les crimes graves qu'ils commettent ne représentent qu'un petit pourcentage de l'ensemble de leur activité délictueuse, ce qui veut dire qu'ils commettent beaucoup plus de délits mineurs ou modérément graves que de crimes graves (Laub et Sampson 2003 : 88-90).

Bref, ces jeunes gens que nous appelons délinquants suractifs persistants, présentent d'habitude une activité délictueuse remarquable par : 1. sa fréquence, 2. sa diversité, 3. sa persistance, 4. sa contribution à la criminalité grave dans une société (ce qui ne veut pas dire que la plupart de leurs infractions seraient graves). Pour rendre intelligibles les conduites de ces individus, il nous faut répondre à cinq questions :

1. Pourquoi les délinquants suractifs commettent-ils tant d'infractions ?
2. Pourquoi n'ont-ils pas tendance à se spécialiser ?
3. Pourquoi persévèrent-ils ?
4. Pourquoi sont-ils responsables de la majorité des crimes graves commis dans une société ?
5. Pourquoi commettent-ils beaucoup moins de crimes graves que de délits de faible ou moyenne gravité et pourquoi sont-ils nombreux à s'en tenir à une délinquance sans gravité ?

Telles sont les questions auxquelles je me propose de répondre dans ce livre.

Très peu enviable est le destin de cette minorité d'individus qui s'engagent profondément dans la voie du crime. Ils étonnent les observateurs par la répétition apparemment compulsive des transgressions, par l'éternel retour en prison, par l'accumulation des conduites d'échec. Des misérables disait d'eux Victor Hugo ; des paumés dirions-nous aujourd'hui. Et quand l'un d'eux va jusqu'à se rendre coupable d'un viol ou d'un meurtre, il se condamne lui-même à l'infamie. En bout de piste, il risque de mourir de mort violente.

Comment expliquer l'adoption d'une ligne de conduite aux conséquences si funestes ? L'hypothèse de la folie fut envisagée par les médecins qui, dès le XIXe siècle, s'attelèrent à la tâche de faire du crime un objet de science. Mais assez tôt, certains furent pris de doute. En 1857, Morel écrivit : « L'acte le plus monstrueux qui se puisse imaginer n'est pas toujours, loin s'en faut, l'indice de la folie. » (Renneville 2003 : 151) Aujourd'hui, nous savons que les individus souffrant d'un trouble mental grave (schizophrénie, dépression majeure, trouble délirant ou autres psychoses) ont tendance à être plus violents que les sujets de la population en général et que la prévalence de ces maladies mentales est plus élevée parmi les délinquants incarcérés. Cependant, la prévalence à vie de ces troubles mentaux graves parmi les prisonniers ne dépasse guère 11 % (Hodgins et Côté 1990 ; Hodgins et Côté 2003). La maladie mentale grave joue sans doute un rôle dans la violence, mais il reste marginal.

C'est alors qu'une autre hypothèse s'est imposée, et elle continue de prévaloir. Le délinquant chronique, soutient-on, est différent de l'honnête homme ; qui plus est, il n'a pas le choix d'être ce qu'il est. Il se distingue par des troubles de personnalité : égocentrisme, agressivité, impulsivité, témérité. Mis ensemble, ces traits expliquent sa prédisposition à la délinquance, son penchant au crime, pour parler comme les auteurs du XIXe siècle. Et la preuve du déterminisme qui le tient sous son joug se trouve dans les nombreux facteurs de risque qui prédisent sa récidive.

Il est indubitable que cette hypothèse a plutôt bien résisté à l'épreuve de la prédiction : aussi bien les traits de la personnalité délinquante que les facteurs de risque se révèlent utiles pour prévoir le développement de l'activité délictueuse. Encore ne faut-il pas exagérer : les pourcentages d'erreurs de prédiction restent élevés. Et ils sont excessivement élevés quand on se propose de prédire les crimes graves : précisément ceux que nous tenons à prédire.

Mais le défaut le plus grave de cette hypothèse, c'est qu'elle n'explique vraiment ni la délinquance ni la violence. Un catalogue de traits de personnalité et de facteurs de risque, aussi long soit-il, n'équivaut pas à une explication : il ne rend pas le phénomène intelligible. Il n'étanche pas notre soif de compréhension. Pire, si nous examinons bien ces traits et ces facteurs, nous découvrons qu'ils ne sont pas vraiment différents de la délinquance elle-même. Rappelons que les traits de la personnalité criminelle incluent l'agressivité, l'impulsivité, l'indifférence aux souffrances d'autrui et la mésadaptation sociale. Or, les délits et crimes sont, par nature, des actes agressifs, des réactions impulsives à des occasions ou à des provocations, des préjudices causés à autrui et des conduites inadaptées. Du côté des facteurs de risque, nous constatons que les délits passés et les conduites agressives au cours du jeune âge prédisent la délinquance. Il n'est pas mauvais de savoir que le comportement prédit le comportement, mais comme explication, c'est un peu court. Bref, cette hypothèse posant que le délinquant est différent et soumis à des déterminismes nous enferme dans une tautologie : les traits et les facteurs utilisés par le chercheur pour « expliquer » ne sont pas différents de ce dont il prétend rendre compte.

Expliquer, dans l'acception courante du terme, c'est faire comprendre, faire connaître les raisons et les causes. Ce n'est ni avec des catalogues de facteurs ni avec des tautologies que nous parvenons à expliquer.

L'hypothèse dont le présent livre est une défense et une illustration prend le contre-pied de cette conception. Refusant de convenir que ces délinquants seraient des êtres à part incapables de choisir, elle pose, au contraire, qu'ils nous ressemblent et que leurs délits résultent de leurs choix. Cela conduit à braquer le projecteur, non sur les personnalités ou les facteurs, mais sur les actions et les résultats. Les délits et crimes sont alors conçus comme des actions posées par des êtres humains qui choisissent, anticipent et corrigent le tir à la lumière de l'expérience. Selon cette logique, l'explication des infractions devrait être cherchée, non dans des traits de personnalité, mais dans les résultats visés puis obtenus par ces actions. Si un garçon cambriole une résidence, c'est qu'il croit y trouver des objets qu'il vendra avec profit, et s'il recommence, c'est qu'un premier succès lui a appris que ses espoirs étaient fondés. Or, les résultats ainsi obtenus dépendent de la situation que rencontre notre cambrioleur. Il arrivera à ses fins si la porte qu'il veut forcer ne résiste pas ; si la maison est inoccupée ; si les voisins n'appellent pas la police ; s'il trouve dans la maison de l'argent, des bijoux ou d'autres objets de valeur. Ce délinquant nous apparaît comme un être humain qui a conclu, en tenant compte des situations devant lesquelles il se trouve, que violer la loi présente, à court terme, plus d'avantages que d'inconvénients.

Au cœur de cette problématique se trouve le postulat de la rationalité. La conception qu'en propose Boudon (1992, 1995, 1999, 2003) m'apparaît la plus féconde. L'action, écrit-il, est fondée sur une théorisation de la situation dans laquelle se trouve l'acteur. Notre cambrioleur ne peut faire autrement que de spéculer sur ce qu'il trouvera comme argent et biens monnayables dans la maison qu'il est sur le point de dévaliser. Un autre exemple témoigne du genre de raisonnement qui débouche sur un règlement de compte entre malfaiteurs. Mon complice, se dit le braqueur, a été arrêté par la police puis libéré en douce. Or, les enquêteurs qui l'ont interrogé ont l'habitude de faire aux suspects des offres qu'ils ne peuvent refuser. Ce salaud se dispose sans doute à témoigner contre moi. Je dois donc l'éliminer sans tarder. Les circonstances dans lesquelles cet homme se trouve au moment décisif l'ont conduit à la conclusion que ce crime est la moins mauvaise des solutions parmi celles qui s'offrent à lui.

La recherche des raisons nous conduit à poser des questions fort différentes de celles que nous posons quand nous recherchons les causes. L'on ne se demande pas : quels sont les facteurs qui ont poussé ces individus à se comporter ainsi ? Mais quelle lecture les délinquants faisaient-ils de leurs situations au moment des faits ? La question n'est pas : quels sont les facteurs de risque de la violence ? Mais quel problème le criminel se proposait-il de résoudre et pour quelles raisons son crime lui paraissait-il une solution appropriée ?

Les délinquants ne jouent pas leur partie en solitaire. Non seulement opèrent-ils fréquemment avec des complices, mais encore, ils doivent composer avec leurs victimes et la police. Aucun de ces acteurs n'est dépourvu de rationalité. Et comme les intérêts des uns et des autres s'opposent, l'affrontement paraît inévitable.

Cela nous conduit à penser le phénomène criminel comme le résultat du choc des rationalités lors de conflits opposant les délinquants, leurs victimes et les acteurs sociaux chargés de la protection des biens et des personnes. Cette conception stratégique a été utilisée dans l'étude de la prévention et de la dissuasion (Clarke dir. 1997 ; Clarke et Eck 2002 ; Cornish et Clarke dir. 1986 ; Cusson 1981, 1983, 1998 ; Cusson et Cordeau 1994). Cependant, cette grille de lecture n'a pas encore été appliquée au délinquant suractif. C'est le défi que je me propose ici de relever : expliquer les actions de ces jeunes gens en termes de choix, de rationalité, de résultats, de stratégies et de situations.

Mais comment rendre compte d'une activité délictueuse fréquente et installée dans la durée si ce n'est en termes de prédispositions et de personnalité ? Est-il vraisemblable que certains individus aient la malchance de rencontrer fréquemment, année après année, des problèmes qui appellent des solutions délinquantes ? La réponse tient dans un constat noté par maints observateurs du milieu criminel. Le mode de vie et les fréquentations des délinquants persistants n'ont pas grand-chose à voir avec ceux des citoyens ordinaires. Plus un jeune homme commet de délits, plus il a tendance à mener une vie de flambeur, de noctambule et plus ses amis sont des mauvais garçons. Cette vie éveille chez lui des désirs et des besoins qui ne peuvent pas toujours être satisfaits par des procédés honnêtes. Et elle le met sans cesse dans de mauvais draps dont il ne peut se sortir qu'en violant la loi. Lors d'un vol, il est confronté à une victime armée et son réflexe est de tirer le premier. Pour se dépêtrer d'un embarras, quelquefois pour sauver sa peau, il est acculé à des solutions extrêmes.

Les délinquants dont il sera question dans ce livre ont été examinés sous toutes les coutures. Des échantillons considérables ont été suivis de près, depuis l'enfance jusque dans la force de l'âge. D'innombrables comparaisons ont été menées entre délinquants et non-délinquants. Les chercheurs ont étudié l'impact des mesures préventives et des sanctions pénales sur les contrevenants. Le milieu criminel et le style de vie de ses membres ont fait l'objet de riches descriptions. Nous avons aussi accès à ce que les délinquants eux-mêmes ont à dire et à raconter sur leur vision du monde et sur leur vie : il suffit de lire leurs autobiographies, les biographies qui leur ont été consacrées ou les livres et articles publiés par les criminologues qui les ont interviewés. (Dans ce livre, les passages en italique et entre guillemets sont les propos des délinquants eux-mêmes ou ceux de témoins directs.) Ces recherches diverses et ces sources variées nous présentent, d'un côté, les facteurs en corrélation avec la délinquance et les effets mesurables des sanctions et, de l'autre côté, la manière dont les délinquants perçoivent ces facteurs et le sens qu'ils donnent à ces expériences.

Or, nulle part ces diverses sources et ces méthodologies différentes sont réunies pour brosser le tableau le plus près possible de la réalité. La masse de données empiriques grossit, la liste des facteurs de risques s'allonge, mais les délinquants sont-ils mieux compris pour autant ? L'ambition de ce livre est de faire converger les éléments de connaissance les plus variés et les plus solides pour rendre intelligible la délinquance fréquente et grave, pour déchiffrer ce qui reste encore une énigme.

Le livre est divisé en cinq parties.

La nature du crime et le style de vie délinquant — La première étape sur le chemin de la compréhension d'un phénomène est d'en examiner la nature même. Cet exercice aidera le lecteur à comprendre pourquoi les délinquants se refusent à la spécialisation et commettent une variété de types de délits. Tel sera l'objet du premier chapitre. Dans le second, je soutiendrai que les délinquants invétérés mènent une vie au centre de laquelle la fête et le plaisir occupent une place démesurée. Ce style de vie fournit la motivation et le contexte d'un bon nombre de délits contre les biens et contre la personne.

Un solde positif — L'action criminelle, comme toute action humaine, ne peut être véritablement expliquée sans prendre en compte les résultats qu'elle vise et ceux qu'elle obtient. Or, elle apporte à ses auteurs des bénéfices très réels. À court terme, elle ne leur coûte pas cher ; il est même fréquent qu'elle soit gratuite. La fréquence et la persistance de la délinquance pourraient fort bien s'expliquer par ce solde positif. Dans les chapitres 3, 4, 5 et 6, le lecteur trouvera une défense de cette position utilitariste.

Le milieu criminel — Il est connu que les malfaiteurs se fréquentent et s'influencent mutuellement. Comment et pourquoi la dynamique de la vie sociale au sein des bandes et gangs conduit-elle quelquefois leurs membres à commettre des crimes graves ? Tel est l'objet du chapitre 7. Dans le chapitre 8, nous examinerons les stratégies élaborées par les membres du milieu criminel pour assurer leur sûreté et les crimes graves qui s'ensuivent.

Les trajectoires — Tout n'est pas joué durant l'enfance, mais celle-ci laisse des marques perceptibles jusque chez l'adulte. Les prémisses de la délinquance apparaissent tôt au début de la vie. C'est durant l'adolescence que l'activité délictueuse s'affirme. Il n'est pas rare qu'elle se prolonge au cours de la vie adulte. Puis elle recule peu à peu et enfin cesse. C'est en ce sens que nous parlons de trajectoires. Ces dernières ont été fort bien documentées et chiffrées grâce aux recherches longitudinales. Mais elles restent mal comprises. Je me propose de les rendre plus intelligibles grâce à une théorie non déterministe. Le chapitre 9 porte sur l'origine de la délinquance et sur la dynamique familiale qui la favorise. Dans le chapitre 10, la persistance et l'abandon de la délinquance sont expliqués en termes de calcul coûts-bénéfices d'abord et d'injustices subies et causées ensuite.

Conclusion — Elle présente une synthèse de l'ouvrage sous forme d'une théorie visant à rendre compte du choix d'un mode de vie délinquant. Dans le dernier chapitre, le lecteur trouvera les implications pratiques des analyses contenues dans ce livre.

Première partie

La nature du crime et le style de vie délinquant

CHAPITRE 1

L'unité de l'action criminelle et la diversité des infractions

CERTAINES MANIÈRES DE PARLER sont trompeuses. Ainsi en est-il d'expressions comme « les agresseurs sexuels », ou « les voleurs professionnels ». Elles donnent à penser que les uns se spécialisent dans l'agression sexuelle et les autres dans le vol. Or, la plupart des agresseurs sexuels sont aussi des voleurs et il n'est pas rare qu'un voleur devienne violent. Inextricables paraissent les rapports entre divers types de délits et crimes.

La première partie de ce chapitre réunit les faits sur lesquels les criminologues s'appuient pour avancer que les délinquants actifs préfèrent la diversification des délits à la spécialisation. La deuxième partie proposera une explication de cette hypothèse. J'y soutiendrai que la polyvalence des délinquants n'est qu'apparente, car derrière la diversité de leurs infractions se cache l'unité fondamentale de l'action criminelle.

LES GÉNÉRALISTES DU CRIME

Il arrive aux criminologues, comme aux non-spécialistes, de céder à la tentation d'assimiler un homme à son crime, surtout quand il est grave : c'est un meurtrier. Puis, faisant un pas supplémentaire, ils recherchent les caractéristiques du meurtrier considéré comme un type criminel. La difficulté surgit quand ils découvrent que la plupart des représentants du type ainsi créé avaient, par ailleurs, commis plusieurs autres genres de délits et crimes. Telle fut la découverte d'un groupe de chercheurs étudiant les agresseurs sexuels.

Les « violeurs »

Ces chercheurs faisaient partie de l'équipe de recherche dirigée par Jean Proulx de l'Université de Montréal. Ses membres firent passer toute une batterie de tests et de questionnaires à plusieurs centaines de détenus des pénitenciers du Québec qui venaient d'être condamnés pour agression sexuelle. Leurs premiers résultats les incitèrent à distinguer les violeurs des pédophiles. Quand l'attention se concentra sur les violeurs, les chercheurs découvrirent qu'au moins 70 % d'entre eux avaient des antécédents de délits contre la propriété (Boutin 1999 ; Nicole 2002 ; Cusson et Proulx 2005). Un des chercheurs de l'équipe, Lussier (2004), a eu l'idée de calculer le nombre moyen d'infractions de diverses natures commises annuellement par ces criminels. Le résultat est le suivant : 0,33 agression sexuelle ; 1,9 délit contre la propriété ; 1,15 délit violent. Ainsi, ces « violeurs » commettent annuellement trois fois plus de crimes violents non sexuels et cinq fois plus de délits contre la propriété que d'agressions sexuelles. Autre chiffre allant dans le même sens : seulement 4 % de ces « violeurs » sont des spécialistes du viol au sens de délinquants dont au moins la moitié des infractions sont des agressions sexuelles.

Malgré tout, se demande Lussier, le viol procède-t-il de causes spécifiques ? Dans un premier temps, il identifie deux variables qui, en principe, présentent toutes les chances de jouer le rôle de facteur spécifique de l'agression sexuelle. La première appréhende les préférences sexuelles pour le viol mesurées par la technique de la phallométrie (l'excitation sexuelle des sujets est mesurée pendant qu'on leur présente des stimuli de viol). La deuxième variable est un indice de « sexualisation » formé en combinant la masturbation compulsive, l'envahissement par des fantasmes sexuels et le fait d'avoir de très nombreuses partenaires sexuelles. Or, contrairement à toute attente, Lussier constate que ces préférences sexuelles déviantes et cette sexualisation ne sont pas associées de manière statistiquement significative à la fréquence des délits sexuels. Alors, qu'est-ce qui prédirait la fréquence des agressions sexuelles ? C'est le « syndrome de déviance générale ». Cet indice est construit en additionnant divers troubles de comportement qui s'étaient manifestés pendant l'enfance et l'adolescence : les crises de colère, les actes de rébellion, les agressions, les conduites de risque et les vols. Cet indice prédit très bien la fréquence des agressions sexuelles (p. 122 ; voir aussi Lussier et coll. 2005). Cela veut dire que, chez ces criminels, le viol n'est pas vraiment l'expression d'une orientation sexuelle déviante, mais plutôt la manifestation d'une prédisposition à enfreindre toutes sortes de règles. Et il ne s'agit pas d'un résultat isolé. En Suisse, Haas (2001) obtient des résultats semblables en examinant la délinquance générale et les facteurs de risque d'un groupe de violeurs.

La versatilité des délinquants

Pour étudier le polymorphisme, c'est-à-dire « le cumul de plusieurs catégories de délits par un même sujet », Fréchette et Le Blanc (1987 : 118-121) ont interrogé 396 clients du tribunal de la jeunesse de Montréal sur leur délinquance, puis ils ont classé les délits ainsi répertoriés en 11 catégories :

1. menu larcin
2. vol à l'étalage
3. vandalisme
4. vol simple
5. désordre public
6. vol avec effraction
7. vol sur une personne
8. drogue
9. vol de véhicules à moteur
10. vol grave
11. attaque contre la personne

Cela étant, ils ont constaté que 65 % des garçons de l'échantillon avaient commis un délit dans au moins trois catégories différentes d'infractions. Seulement 12 % des sujets n'avaient à leur actif qu'une seule catégorie de délits, surtout parce qu'ils n'avaient commis qu'un très petit nombre d'infractions. Chaque fois qu'un semblable exercice a été mené, les chercheurs aboutissent au même constat : les délinquants actifs ne sont pas portés à se spécialiser dans un type de délit. La plupart, au contraire, sont versatiles ; ils sont des généralistes de la délinquance (Wolfgang et coll. 1972 ; West et Farrington 1977 ; Klein 1984 ; Piquero et coll. 2003).

Cette polyvalence les fait traverser sans peine la frontière qui sépare le vol de la violence.

Les petits délits des auteurs de crimes graves

Elliott (1994) utilise les données d'une étude longitudinale portant sur un échantillon représentatif de 1725 jeunes Américains pour établir le profil des « délinquants violents graves » (auteurs de vols qualifiés ou de coups et blessures ou de viol avec arme ou accompagné de blessures). Il constate que 69 % de ces « délinquants violents graves » avaient, outre ces violences, commis des vols simples et 71 %, des actes de vandalisme. Plus étonnant encore, Elliott découvre que 96 % de tous les délits à l'actif de ces individus *ne sont pas* des crimes violents. En réalité, ces « délinquants violents graves » ne le sont qu'exceptionnellement. L'analyse de la succession de leurs délits, au fil des ans, conduit ce chercheur à conclure que l'apparition de la violence au cours d'une trajectoire s'accompagne d'une augmentation des autres types de délits : la violence vient s'ajouter, et non se substituer, à des agissements non violents ; elle s'inscrit dans un processus de diversification et non de spécialisation.

À l'instar d'Elliott, dès qu'un chercheur entreprend de fouiller dans le passé des auteurs de crimes violents, il y trouve des pourcentages variant entre 60 % et 90 % d'individus ayant aussi commis des délits non violents. C'est ainsi que, dans l'échantillon londonien étudié par Farrington (1997 : 364), 86 % des délinquants qui avaient commis au moins un crime violent avaient aussi été condamnés pour des délits non violents. En Suisse, le pourcentage correspondant est de 80 % (Haas 2001 : 252). À Montréal, 93 % des auteurs de délits graves avaient, durant leur adolescence, commis au moins un délit de moindre gravité (Gagnon 2004). Parmi les quelque 1 000 meurtriers identifiés au Québec entre 1986 et 1996, 60 % avaient des antécédents criminels (Cusson et coll. 2003).

De tels constats mettent à mal bon nombre de typologies de délinquants fondées sur la nature du délit. Et ils fragilisent la distinction entre délinquants violents et non violents : il n'y a pas de cloison étanche entre les deux.

La nature de l'action criminelle

Se pourrait-il que cette tendance de certains à commettre des délits et crimes variés résulte d'une nature commune à tous ces actes ? Pour répondre à cette question, on ne peut s'en tenir à une notion légaliste de l'infraction. Il importe de se doter d'une définition pouvant saisir la nature même de l'acte. Voici celle que je propose : *L'action criminelle se caractérise par le recours à la violence ou à la tromperie pour passer outre au consentement d'autrui et lui causer un préjudice injuste.*

Le lecteur aura noté que cette définition ne peut couvrir la totalité des actes incriminés dans nos codes pénaux. Les infractions qui répondent à cette définition sont d'abord les *atteintes contre les biens :* vols simples, vandalisme, fraudes, escroqueries, cambriolages, vols de véhicules automobiles, incendies volontaires; viennent ensuite les *atteintes contre les personnes :* intimidations, voies de fait, coups, blessures, racket, extorsions, braquages, hold-up, poses d'engin explosif, enlèvements, viols, homicides, meurtres.

Parmi les infractions qui n'ont pas été incluses dans cette liste, nous trouvons : le trafic de la drogue, la prostitution, le proxénétisme, la contrebande, les jeux et paris illégaux. Il s'agit là d'actes qui ne causent pas des préjudices évidents à autrui et qui se réalisent avec le concours d'une « victime » consentante. Ils n'ont pas été retenus parce que leur caractère délictueux prête à discussion. La décriminalisation du cannabis ou de la prostitution se discute. Par contre, la légalisation du vol ou du meurtre ne se discute pas.

Cette définition rejoint l'universel. Elle désigne des actes prohibés dans tous les pays de la planète et sanctionnés de tout temps, soit par une peine publique, soit par la vengeance, soit par l'obligation de réparer.

Il n'existe pas de société humaine dans laquelle serait toléré l'acte de tuer volontairement et sans excuse un membre de son propre groupe. De plus, la notion de propriété existe partout, même si elle a été définie de façon variable : tous les peuples, toujours, ont interdit l'appropriation et la destruction d'objets protégés par des droits de propriété (Cusson 1983 : 294-297).

La violence et la tromperie pour se dispenser du consentement d'autrui

Une caractéristique fondamentale de l'action criminelle est le recours à la violence ou à la tromperie pour forcer autrui à subir ce à quoi il n'aurait pas consenti de son plein gré (sur ce point, ma position est proche de celle de Gassin 2003). Ainsi conçue, l'action criminelle s'oppose à la persuasion et à l'échange. En effet, quand un citoyen veut obtenir d'autrui ce qu'il en attend sans recourir ni à la violence ni à la tromperie, il s'efforce de le persuader ; il lui offre une contrepartie. Il dispose même d'un moyen légitime de l'obliger : il lui fait signer un contrat. Le plus souvent, l'obligation est réciproque. Par exemple, dans le contrat de vente, la prestation de l'un est rétribuée par celle de l'autre, et réciproquement.

Les vols et agressions s'opposent terme à terme à ces relations contractuelles. Les crimes et délits ne sont des rapports ni consensuels ni mutuellement avantageux. Plutôt que d'user de la persuasion ou de la réciprocité pour emporter l'adhésion de l'autre, le criminel a recours aux expédients de la ruse ou de la violence. Il se dispense du consentement d'autrui et lui extorque un avantage sans contrepartie. Il arrive à ses fins sans rien demander, en forçant la main de l'autre, en le frappant, en le menaçant, en opérant à son insu ou en l'induisant en erreur. Ce faisant, il déçoit l'attente que chacun entretient vis-à-vis de quiconque n'est pas son ennemi. En effet, nous nous attendons d'autrui qu'il obtienne notre consentement avant d'intervenir dans nos affaires et qu'il rétribue le service ou le bien reçu. Quiconque voit cette double attente déçue se sent injustement lésé. Antithèse de la réciprocité qui unit les membres d'une société, l'acte criminel engendre la méfiance et l'hostilité.

Les préjudices

Le consensus sur une notion de crime au centre de laquelle se trouvent des préjudices injustes causés par la violence ou la tromperie s'exprime dans les sondages sur la gravité des infractions (Sellin et Wolfgang 1964 ; Rossi et Berk 1985 ; Newman 1976 ; Wolfgang et coll. 1985 ; Tremblay et coll. 2004). Les résultats de ces recherches nous font découvrir, premièrement, la finesse des jugements de gravité des simples citoyens et, deuxièmement, la concordance des ordonnancements : l'ordre de gravité des infractions les unes par rapport aux autres est, en gros, le même d'un pays à l'autre, d'une classe sociale à l'autre, que l'on soit homme ou femme, etc.

Il ressort de ces enquêtes que l'ampleur du préjudice est la dimension qui fait le plus fortement varier les perceptions de gravité.

Les sondages permettent d'appréhender trois catégories de préjudices. La première, et la plus importante, c'est *l'atteinte à l'intégrité physique de la personne.* Le même acte, par exemple un vol à main armée, paraîtra évidemment très grave si la victime est tuée ; il le sera deux fois moins si elle est blessée puis hospitalisée ; il sera moins grave encore si la blessure ne requiert pas d'hospitalisation, et encore moins si l'agression ne s'accompagne pas de dommages physiques.

À côté des blessures causées à la personne, il y a *les dangers auxquels on l'expose* sans pour autant que ce danger ne se matérialise. On juge sévèrement le terroriste qui dépose une bombe dans un lieu public même si elle n'explose pas. Un vol qualifié paraît plus grave s'il est commis avec une arme à feu qu'à mains nues.

L'importance des *pertes monétaires* encourues par la victime fait aussi varier la gravité perçue, mais les variations restent de faible amplitude. En effet, il faut augmenter 13 fois la somme des pertes d'argent pour seulement doubler la gravité perçue de l'infraction (Tremblay et coll. 2004).

Bref, plus une infraction cause des préjudices importants — blessure, alarme, pertes monétaires — plus elle paraît grave. Et une infraction sera d'autant plus « criminelle » qu'elle causera des dommages importants à autrui.

Cependant pour qu'un acte paraisse criminel, il ne suffit pas qu'il cause des préjudices : encore faut-il qu'il soit ressenti comme injuste.

Le juste et l'injuste

> La justice, c'est l'égalité. Je n'entends point par là une chimère, qui sera peut-être quelque jour ; j'entends ce rapport que n'importe quel échange juste établit aussitôt entre le fort et le faible, entre le savant et l'ignorant, et qui consiste en ceci, que, par un échange plus profond et entièrement généreux, le fort et le savant veut supposer dans l'autre une force et une science égale à la sienne. (Alain 1960 : 1230)

Aux yeux des philosophes de l'Antiquité et du Moyen Âge, le vol et l'agression unilatérale étaient d'abord des injustices. En effet, le voleur agit contre la volonté du possesseur et s'empare du bien que ce dernier avait le droit, en toute justice, de conserver. Quiconque frappe la personne qui ne lui a rien fait la traite de manière inique, injuste. De tels agissements s'opposent à ce que ces philosophes appelaient la justice commutative, celle qui se rapporte aux échanges et dont les principes sont la réciprocité et l'équilibre (Aristote, édition de 1965 : 28-131 ; Thomas d'Aquin édition de 1925-1938 : I, 130-148 ; II, 32-104).

Le philosophe Alain nous rappelle que la justice est un dépassement de la loi du plus fort, dictant à ce dernier de traiter le faible comme s'il était d'égale force. Les jugements de gravité captés par les sondages montrent que les citoyens jugent plus grave le meurtre de l'homme qui tue sa femme à coups de poignard que le même acte perpétré par la femme qui poignarde son mari. Et ils seront plus sévères encore vis-à-vis d'un adulte qui tue un enfant. À préjudice égal, quand le rapport de forces avantage nettement l'agresseur, l'agression paraît plus criminelle. De tels jugements ne s'expliquent pas autrement qu'en termes de juste et d'injuste. Nous réprouvons avec la dernière énergie une agression quand elle est commise par un fort contre un faible, parce qu'elle nous semble plus injuste qu'un combat entre deux adversaires d'égales forces.

Conclusion

Parmi toutes les infractions incluses dans le code criminel, se trouvent plusieurs actes universellement prohibés, essentiellement les atteintes contre la personne et contre la propriété. Les visages très divers sous lesquels apparaissent ces actes ne devraient pas faire oublier leur unité profonde. En effet, ils présentent tous trois caractéristiques : ils permettent de passer outre au consentement de l'intéressé ; ils lui causent des préjudices et ils lui font subir une injustice. De ce point de vue, le larcin et l'assassinat participent de la même nature, en dépit d'énormes différences de gravité.

Si ce qui précède n'est pas faux, la polyvalence des délinquants suractifs n'est qu'une façade masquant l'unité de leur action. Apparemment, quand ils passent du vol au viol, ils ne font pas du tout la même chose. En réalité, ils obéissent toujours à la même logique d'action. L'écart considérable de gravité séparant ces actes ne devrait pas nous abuser. Nous sommes en présence de différences de degré, non de nature : variétés d'une même espèce.

Pourquoi l'individu qui ne se soucie ni de solliciter l'accord d'autrui ni de lui causer des torts injustes se confinerait-il à une seule variété d'infraction ? Il sera plutôt enclin à opter pour plusieurs types d'atteintes contre la propriété et contre la personne au gré des occasions. Et c'est précisément la ligne de conduite adoptée par le délinquant que l'on dit polymorphe.

Parmi les délinquants actifs, l'unité et la continuité l'emportent sur la diversité et la discontinuité. Cette conclusion s'inscrit en faux contre la criminologie positiviste qui, dès sa naissance, s'est fourvoyée dans l'erreur typologique d'où elle n'est pas encore sortie. Les nombreuses classifications de criminels qui se sont succédé depuis celle de Lombroso donnent à croire que les « types criminels » se distingueraient par nature les uns des autres. En réalité, leurs différences n'en sont que de degrés. Et les types dont les ouvrages de criminologie sont remplis n'ont rien à voir avec les espèces identifiées par les naturalistes. Les typologies nous induisent en erreur en masquant l'unité profonde de l'action criminelle.

CHAPITRE 2

La vie festive

QUAND IL A ATTEINT le faîte de sa gloire criminelle, le délinquant mène grand train. Préférant la nuit au jour, il se couche et se lève tard. Il ne dédaigne pas les cocktails de sexe, d'alcool et de drogue. Il dilapide en un rien de temps des sommes considérables. Rien à voir avec les habitudes du fonctionnaire ponctuel, besogneux et économe.

Ces manières voyantes sont si étroitement associées à l'activité délinquante que des criminologues, et non des moindres, les ont érigées en symptômes du penchant au crime. Ainsi, les Américains Gottfredson et Hirschi (1990) incorporent dans leur liste des éléments de la faible maîtrise de soi (à leurs yeux, le facteur numéro un de la délinquance) l'abus de drogue et d'alcool, l'habitude des jeux de hasard, une sexualité débridée, l'instabilité au travail et la prise de risque (p. 89 et s.). Pour sa part, le Britannique Farrington (2003) constate que les délinquants de son échantillon se distinguent nettement des non-délinquants sur les points suivants : changements d'emploi fréquents, habitude de sortir souvent le soir, relations sexuelles non protégées et abus d'alcool et de drogue. Il additionne ces marqueurs à quelques autres pour en faire un « syndrome de la personnalité antisociale ». Démarche semblable de la part de Henriette Haas (2001 : 129-137). Ayant identifié 371 violeurs et agresseurs parmi les quelque 20 000 recrues de l'armée suisse, elle montre qu'ils se distinguent par une forte « tendance dyssociale » dont quelques-uns des symptômes sont : la fréquentation de prostituées, les comportements sexuels à risque, les dettes, les factures impayées, la fréquentation de maisons de jeu et la tendance à s'ennuyer.

Il est indubitable que ces traits et ces habitudes sont intimement associés à la délinquance, qu'ils en sont des prédicteurs efficaces et qu'ils servent utilement au diagnostic. Cependant, prédire et diagnostiquer, ce n'est pas expliquer. Pourquoi les délinquants vivent-ils ainsi ? Quel ciment donne cohérence à ces habitudes de vivre la nuit, de fréquenter les prostituées, d'accumuler des dettes, d'abuser de drogues, de dépouiller et agresser les gens ? Une réponse m'apparaît plus éclairante que d'autres. Ces conduites à première vue disparates découlent de l'importance démesurée qu'occupe la fête dans la vie de certains jeunes. Ils y trouvent liberté, plaisirs et intensité. Mais ils s'y consacrent à tel point qu'ils se retrouvent incapables de financer la fête sans expédients malhonnêtes. Plus grave encore, celle-ci débouche sur la violence quand elle fournit à chacun l'occasion de donner libre cours à ses passions.

Cette thèse sera défendue en répondant à trois questions :

1. Que savons-nous du style de vie des délinquants ?
2. Qu'est-ce qui les attire dans cette vie ?
3. Pour quelles raisons ce style de vie encourage-t-il le passage à l'acte ?

« Du plaisir et du crime »*

Quelques minutes, voilà le temps requis pour commencer et achever la plupart des vols et agressions,

---

* Voir L. Chevalier, *Montmartre du plaisir et du crime*, Paris, Robert Laffont, 1980.

lesquels ne sont planifiés que sommairement ou pas du tout. Le jeune homme abonné à la délinquance n'y consacre pas tellement de temps. Nous savons par ailleurs que, lorsqu'il n'est pas chômeur, il n'investit pas massivement dans son travail. Mais alors que fait-il de ses loisirs ?

Un bar la nuit

À 18-19 ans, les délinquants de Londres étudiés par West et Farrington (1977 : 181) sont plus nombreux que les non-délinquants à sortir régulièrement le soir dans les clubs, discothèques et cafés. Ils passent souvent leurs soirées en « party ». Ils aiment aussi se tenir au coin d'une rue à ne rien faire de spécial et se balader sans but particulier.

Les bandits d'envergure ont de semblables habitudes :

> « *Je fréquentais un petit bar de truands qui tenaient le pavé rue de la Montagne Sainte-Geneviève. Je passais mes nuits à jouer au poker, les parties étaient acharnées. J'avais pris l'habitude de sortir armé de mon calibre 45. Je commençais à avoir un certain prestige auprès des femmes qui fréquentaient le bar. Certaines étaient des étudiantes paumées qui s'offraient pour un café crème ou plus simplement pour un lit chaud et un peu d'affection. Dans ce milieu enfumé et louche, je me sentais dans mon ambiance naturelle. Je fis la connaissance de types qui tout comme moi étaient de la cambriole. Avec certains je fis même des coups. Nous étions devenus une bande de dix individus capables de se prêter main-forte en cas de besoin* [...]. *La patronne du bar, une vieille maquerelle, me parlait toujours avec un certain respect dans la voix. À plusieurs occasions, j'étais intervenu dans des bagarres pour défendre ses intérêts. Elle m'en était reconnaissante.* » (Mesrine 1977 : 60)

Les truands ont besoin d'un lieu où ils prennent leur plaisir, gèrent leurs activités, se reposent, se donnent du bon temps (Chevalier 1980 : 409). Il leur faut aussi un repaire : endroit où ils se retrouvent après un mauvais coup, complotent loin des oreilles indiscrètes et des regards réprobateurs. Ces lieux sont souvent des boîtes de nuit, des clubs, des restaurants, mais pas seulement. Une bande peut tout aussi bien se tenir dans un appartement, un immeuble abandonné...

Tous les noctambules ne sont pas délinquants, mais la plupart des gros délinquants sont des noctambules. C'est quand la plupart des gens dorment qu'ils commencent vraiment à vivre. « Tous les jours, la grasse matinée et une sieste prolongée. » (Chevalier 1980 : 389) Les débits de boissons qu'ils préfèrent n'ouvrent que le soir et ils ne s'animent vraiment qu'au cœur de la nuit. Le soir et la nuit sont les moments de prédilection de la sociabilité délinquante.

Acheteurs et vendeurs de plaisirs

Les bons délinquants, les chiffres le démontrent, se démarquent par une activité sexuelle précoce, un nombre élevé de partenaires (6 partenaires ou plus à 18-19 ans parmi les délinquants de Londres dans les années 1970). Ils sont aussi portés vers les prostituées et leurs habitudes sexuelles entraînent des risques de grossesses non désirées et de maladies vénériennes (West et Farrington 1977 : 54-58 ; Farrington 2003 ; Haas 2001). D'un côté, ils fréquentent les bars de danseuses nues, rendent visite à des filles de joie et sont clients d'agences d'escorte ; de l'autre, ils poussent leur copine à se prostituer, deviennent souteneur ou gérant d'agences d'escorte. Au centre de la vie du truand on trouve « l'exploitation du plaisir des autres et l'assouvissement de son propre plaisir » (Chevalier 1980 : 415).

Il est évident que la relation drogue-crime est très solide. Plus un individu est enraciné dans la délinquance, plus il a tendance à abuser de l'alcool et à consommer diverses drogues illicites (Brochu 1995; Brochu et Cousineau 2003). L'alcool sert de carburant aux festivités qu'organisent les bandes et de lubrifiant aux rapports interpersonnels. À titre de consommateur de drogues illicites, le voleur connaît la marchandise et, bientôt il connaît les ficelles du commerce. C'est ce qui le conduit à devenir lui-même *pusher*, *dealer*, revendeur, trafiquant.

Autre drogue, la passion du jeu en tient plusieurs sous son joug. Les délinquants étudiés par West et Farrington (1977 : 50) parient de plus fortes sommes que les non-délinquants et sont plus nombreux à accepter de jouer quitte ou double la prime offerte par les chercheurs. Les voleurs dilapident aux cartes, au casino, aux vidéopokers les fruits de leurs vols qu'ils n'ont pas perdus avec les filles, la drogue et les beuveries.

Les bars louches, les clubs de danseuses et les marchés de drogue ne peuvent fonctionner sans serveurs, tenanciers, gérants. Et comme la violence menace d'éclater à tout moment dans ces lieux mal fréquentés où l'alcool coule à flots, il faut prévenir et réprimer. Un personnel de protection paraît donc indispensable : videurs, *doormen*, souteneurs... Les petits malfrats habitués de ces lieux sont tout indiqués pour ces métiers. Plus tard, s'ils ont l'étoffe, ils seront recrutés dans une mafia qui impose sa « protection » au bars et restaurants.

La bohème

Cette vie de fêtard ne manque pas d'attraits. Du moins pour certains : affaire de goût.

Métro-boulot-dodo

Quand les délinquants parlent de la vie qu'ils mènent, ils aiment la contraster avec celle que subissent les travailleurs qu'ils écrasent de leur mépris.

> «*Je me sentais au-dessus des emplois manuels, affreusement monotones et sous-payés.* [...] *Pourquoi devrais-je être condamné à l'esclavage alors que d'autres font une belle vie sans travailler ?*» (Shaw 1930 : 160)

> « *On me mit devant une machine à percer et dès le premier jour, je crus crever d'ennui.* » (Guillo 1977 : 24)

> «*Eh bien, moi, je braque parce que j'ai vu mon père marner pour des queues de cerises, et mourir à cinquante-deux ans les poumons bouffés par les émanations de je ne sais quelle saloperie qu'il respirait dix heures par jour dans son usine.* » (Lucas 1995 : 58)

> « *On voyait ceux qui allaient travailler, qui depuis dix ou quinze ans se levaient à la même heure, pour prendre le même train, avec la même tête triste et le même air fatigué. Cela nous confortait dans notre refus de leur ressembler, au cas où l'un d'entre nous se serait mis en tête de travailler. Nous, on voulait vivre et on vivait, et on riait. On riait entre nous, parfois contre les gens...* » (Kherfi et Le Goaziou 2000 : 34)

Ce que le truand voit quand il regarde des travailleurs c'est ceci : « *Des robots exploités et fichés, respectueux des lois plus par peur que par honnêteté morale. Des soumis, des vaincus, des esclaves du réveil matin.* » (Mesrine 1977 : 52 ; voir aussi Wright et Decker 1997 : 47 et Jacobs 2000 : 142)

Le choix de la délinquance, c'est d'abord cette horreur de la routine, des tâches fastidieuses, du joug du petit chef, du petit salaire. Une telle attitude prédispose mal à devenir un employé modèle. Voici ce que constate Gagnon (2004). Il utilise les données longitudinales recueillies par Marc Le Blanc pour identifier les facteurs qui prédisent le mieux, quelques années plus tard, la gravité moyenne des délits commis au sein d'un échantillon de jeunes judiciarisés au cours de leur adolescence. Parmi les facteurs ressortant le plus de l'analyse de régression, Gagnon trouve la tendance à arriver en retard au boulot, les absences sans raison du travail et de fréquents changements volontaires d'emploi. En d'autres termes, les auteurs d'actes graves sont des travailleurs désinvoltes. Ils vont au boulot quand cela leur chante ; ils y arrivent en retard et, quand la tâche est trop fastidieuse, ils laissent tout tomber.

Mais il y a aussi un versant positif à ce choix : cette vie a ses charmes.

La fascination des bas-fonds

L'indépendance — La bohème ne fascine pas seulement le malfrat. Qui ne rêve d'une vie sans contrainte ni horaire ni patron ? Faire ce que l'on veut quand on veut. Gagner sans devoir payer en efforts, en soumission. «*L'argent facile... Sans se lever tôt.*» (Chantraine 2004 : 103)

L'intensité — «*À quoi sert de vivre si on n'a pas une vie forte ?*» (Kherfi et Le Goaziou 2000 : 39). Cambrioler, braquer, détruire, attaquer, être attaqué, s'enivrer, prendre de la cocaïne, courir la gueuse : c'est «*une vie formidable.* [...] *Les montées d'adrénaline, la gloire, la flambe.*» (Chantraine 2004 : 99) Prendre des risques, jouer avec le danger donne le sentiment d'exister totalement (Cusson 1981 ; Le Breton 2002 : 109). La fête, comme la délinquance, c'est l'aventure, l'intensité de la vie pleinement vécue.

La gloriole — « *Délinquants, en bandes, on bougeait, on prenait des risques, on roulait vite, on partait en affaire, on vivait des aventures. On était regardés, valorisés, craints.* » (Kherfi et Le Goaziou 2000 : 35)

Voici en quels termes Provençal (1983 : 47), bandit québécois, évoquait un grand truand qui lui servait de modèle quand il était jeune : « *Il y a des millions de dollars qui lui sont passés entre les mains. Il était toujours entouré de femmes, il avait une belle voiture et il était très respecté dans le Milieu.* » Mener grand train, en mettre plein la vue, perdre au jeu des sommes énormes sans perdre le sourire : ces hommes adorent se donner en spectacle. Par son mépris affiché des conventions comme par ses dépenses ostentatoires, le truand prétend faire croire et se faire croire qu'il est au-dessus du commun des mortels. « *J'ai appris qu'il y avait les "caves", ceux qui prenaient la musette pour aller à l'usine, et les autres, nous, les affranchis.* » (Maurice 2001 : 30)

Il faut choisir

Le choix devant lequel se trouvent certains jeunes gens à une étape de leur vie, ce n'est pas entre le crime et le non-crime, mais entre cette vie-là et l'autre. Comment pourraient-ils hésiter quand ils ont devant eux, d'un côté, un boulot moche, le salaire minimum, la grisaille et, de l'autre, le temps libre, l'aventure, la vie ? « *Peut-être est-ce un choix de vie que d'opter pour l'exceptionnel et l'intense, et de haïr la banalité. Mon père n'a pas fait ce choix, il n'a d'ailleurs rien vraiment choisi.* [...] *Lui et ma famille ont marché sans passion, je ne suis pas sûr qu'ils aient été vivants.* » (Kherfi et Le Goaziou 2000 : 40)

Cependant, il n'est pas facile de concilier fête et boulot. Il est exténuant de passer plusieurs nuits de suite à boire, se coucher à l'aube puis se rendre tôt au travail. Les exigences physiques du travail entrent en conflit avec celles de la vie festive.

La fête criminogène

Quand les délinquants font la fiesta, ils ne font rien d'autre que ce que les êtres humains ont fait depuis toujours. La fête est une dimension de l'expérience humaine. Elle est de tout temps. Les anthropologues nous apprennent que, dans les sociétés sans écriture, les temps forts de la vie collective étaient soulignés par de grandes fêtes, pas très tranquilles ni bien ordonnées. Durant ces moments, les tabous étaient levés ; toutes les outrances étaient permises. Des hommes se jetaient sur des femmes avec qui, en temps normal, il leur était strictement interdit d'avoir des relations. « Beuveries et ripailles, viols et orgies, vantardises, grimaces, obscénités et jurons, paris, défis, rixes et atrocités sont inscrits à l'ordre du jour. » (Caillois 1951 : 42 et Caillois 1958) Dans toutes les sociétés, de tout temps, des moments sont prévus pour se réunir, s'amuser, s'enivrer, se défouler, se libérer des contraintes de la vie quotidienne. Ce n'est pas en faisant la fête que les délinquants se distinguent de l'humanité commune. Ce qui les particularise, c'est qu'ils mettent la fête au centre de leur vie, alors que, dans la vie du citoyen respectueux des lois, elle est une parenthèse périodiquement ouverte et refermée. Plus un individu est engagé dans le crime, plus il passe de temps à faire la bringue. Il y consacre la plupart de ses nuits ; il y dilapide tout ce qu'il gagne. Shover (1996) parle à ce propos de « *life as a party.* » (p. 93)

La bringue pousse aux délits contre les biens et débouche quelquefois sur la violence.

Le panier percé

La fête, il faut se la payer et elle ne coûte pas rien. C'est pourquoi elle fournit une puissante motivation aux vols, fraudes, braquages. Une manière de le montrer est de décrire la séquence en quatre temps qui lie la fête au vol.

Premier temps : le riche butin — Des sondages réalisés dans des pénitenciers canadiens donnent une idée des gains criminels réalisés par les délinquants. C'est ainsi que la médiane des revenus annuels réalisés par 187 prisonniers interviewés reconnaissant gagner de l'argent grâce au crime est de 52 000 dollars canadiens (Charest 2004 et 2005 ; voir aussi Tremblay et Morselli 2000 ; Robitaille 2004 ; Morselli et Tremblay 2004 a, b).

Deuxième temps : flamber — Que faire de tout cet argent ? Après un coup fumant, les braqueurs vont faire la bamboula. S'ils aiment la cocaïne, ils en consomment frénétiquement. Ils s'entourent de filles. Ils paient la tournée. Ils partent au bord de la mer ; vont au casino. Comme dans *Scènes de la vie de Bohême*, ils s'autorisent « les plus ruineuses fantaisies, aimant les plus belles et les plus jeunes, buvant des meilleurs et des plus vieux, et ne trouvant jamais assez de fenêtres par où jeter leur argent. » (Murger 1850 : 41)

Et la part du butin file à toute vitesse. «*Argent mal gagné, mal dépensé. Je connais quasiment personne dans le Milieu qui est capable de faire de quoi avec son argent. Ils dépensent tout à n'importe quoi aussi vite qu'ils l'ont gagné.* » (Provençal 1983 : 123 ; voir aussi Simard et Vastel 1987 ; Shover 1996)

Quel sort le diable a-t-il jeté sur le bien mal acquis pour qu'il glisse ainsi entre les doigts du voleur ? Au moins quatre raisons expliquent cette tendance à dilapider : 1. Un voleur ne peut se permettre de disposer de son argent sale comme il l'entend, surtout quand il se sent dans le collimateur de la police. Il n'osera le placer en banque ou l'investir. Il se rabattra sur des dépenses ne laissant pas de traces (je tiens cette observation de Jean-Paul Brodeur). 2. Plus un travail est dur, plus sa rémunération paraît précieuse. On ne dépense pas follement le salaire durement gagné. « *L'argent volé ne profite pas, on ne peut être économe quand l'on n'a pas peiné du matin au soir pour gagner l'argent que l'on mange. Au moins l'on fait l'effort pour l'avoir, au plus on le prodigue. Et puis quand l'on en aura plus, on en trouvera d'autre, cela ne coûte guère.* » (Nougier 1900 in Artière 1998 : 79) 3. Par nature, la dépense ostentatoire est excessive. Il en faut toujours plus pour épater les spectateurs. 4. La plupart des plaisirs recherchés par les fêtards sont coûteux ; les plaisirs simples et gratuits ne les intéressent pas. Les drogues illicites ne sont pas données. Les prostituées ne s'offrent pas gratuitement. Les casinos sont des gouffres.

Troisième temps : l'endettement — Vient un moment, et il vient vite, où le voleur n'a plus un sou. Il a tout dissipé. Pire, il a négligé de payer son loyer, ses factures. Il doit vivre aux crochets de ses parents ou de sa conjointe. Il est acculé à emprunter aux *shylocks* ou aux copains. Il se trouve cerné par les créanciers (West et Farrington 1977 : 63).

Quatrième temps : et ça recommence — Il ne voit d'autre issue que de recommencer à voler. La fréquence de ses vols et autres délits rémunérateurs est déterminée par l'ampleur de son butin et par le temps qu'il prend pour le flamber. Plusieurs fêtards deviennent toxicomanes. Cependant, c'est d'abord à la fête elle-même qu'ils sont accrochés. Ils sont dépendants de cette polytoxicomanie qui mélange les psychotropes, le sexe, le jeu et l'adrénaline. Et ils deviennent les esclaves de ces nuits de plaisirs, d'intensité et d'excès.

Dionysos furieux

> Montréal, 19 octobre 2001, tard dans la nuit. B. G. qui vient de recevoir son statut de membre du groupe de motards les Rockers, club-école des Hells Angels, arrive avec ses amis devant le bar l'Aria. B. G. est agressif : on vient de refuser de l'admettre dans un autre bar. Le portier de l'Aria veut, lui aussi, l'empêcher d'entrer. B. G. s'énerve ; il annonce qu'il est membre des Rockers et il menace de tirer sur le portier. D'autres employés de la sécurité du bar arrivent. La bagarre éclate. Un des portiers est frappé de coups de crosse à la tête. Puis B. G. tire deux coups de feu en direction de la porte du bar. Une balle atteint mortellement un jeune homme de 17 ans qui faisait la queue.
>
> (*Le Journal de Montréal*, le 2 octobre 2001, p. 3-6)

Ce n'est pas au travail que les voies de fait et homicides sont perpétrés, c'est en contexte festif : durant les fins de semaine, la nuit et dans les débits de boissons (Ouimet et Fortin 1999 ; Boutin et Cusson 1999). Car alors, un mélange d'alcool, de drogue, de danse, d'agitation supprime les inhibitions et fait entrer les fêtards dans un monde sans loi ni ordre.

La fête, comme Dionysos, présente deux visages : l'un est joyeux et aimant, l'autre, colérique et emporté. C'est le cas aujourd'hui comme ce l'était hier. Dans un fascinant récit d'un carnaval du Mardi gras, à Romans, en 1580, Le Roy Ladurie (1979) raconte que les festivités n'avaient pas fait oublier les vieilles chicanes, bien au contraire. La surexcitation de tous leur avait fourni l'occasion d'exprimer leurs griefs plus crûment qu'en temps normal. Les ennemis qui s'évitaient auparavant s'étaient retrouvés à la même table. Et, dans le climat effervescent de la fête, de vieux comptes s'étaient réglés de manière sanglante.

Les hommes et les femmes qui font la noce perdent leurs inhibitions, et pas seulement sous l'effet de l'alcool, mais aussi parce que l'orgie suspend les tabous, excite et donne licence à toutes sortes d'excès. L'effervescence multiplie les heurts entre les fêtards. Les hommes perdent toute retenue avec les femmes. Mais gare à celle qui repousse les avances de manière insultante ! À ses côtés, « son » homme, celui qui croit avoir des droits sur elle, risque de prendre la mouche. La gaieté se transforme alors en colère et deux hommes furieux se dressent face à face, chacun bien décidé à obliger l'autre à ravaler ses paroles. Si l'un d'eux est armé et que les spectateurs jettent de l'huile sur le feu, cela risque de finir mal. L'exacerbation de la rivalité sexuelle et du point d'honneur dans ce climat de licence débouche sur des bagarres, quelquefois sur des homicides.

> Cela se passe à Lyon, en juillet 1968. Guy, Daniel, René et Jean-Claude accompagnés de trois femmes arrosent un braquage qui leur a rapporté très gros, en faisant la tournée des grands-ducs. Arrivés au cabaret Le Grillon, ils sont ivres, excités et bruyants. Dérangés par le chahut, leurs voisins de table leur enjoignent de se calmer. L'un d'eux, Roger, est particulièrement agressif. Les braqueurs le prennent mal, répliquent. S'ensuit une bordée d'insultes puis la bousculade. Roger, très grand, se fait menaçant. Guy sort alors son arme, tire trois fois. Une balle tue net Roger. (Nivon 2003 : 223)

Le sexe festif n'est pas sans danger, surtout pour la femme qui l'offre moyennant rétribution : elle s'expose aux coups de son client et à ceux de son souteneur. Dans *Montmartre du plaisir et du crime*, Chevalier (1980) raconte comment une prostituée ayant humilié publiquement son jules le paya de sa vie (p. 38). Le moment le plus dangereux pour une prostituée est celui où elle lâche son souteneur : offense inexpiable que de lui faire perdre d'un seul coup la face et son gagne-pain (p. 385).

Le chômage et la pauvreté sont-ils des causes ou des effets de la délinquance ?

> « *Sérieusement, Paul, tu penses vraiment que la pauvreté est une raison suffisante pour aller braquer ?* » (Lucas 1995 : 59)

Ce que nous venons d'apprendre sur la manière dont les délinquants dépensent leur argent nous force à repenser la question des rapports entre la pauvreté, le chômage et la criminalité.

Sont-ils pauvres ? Oui, en ceci que leur compte en banque reste vide ; qu'ils sont criblés de dettes et rarement propriétaires d'une maison. Non, si on en juge par leur train de vie et par les plaisirs coûteux qu'ils se payent. La vie festive incite celui qui l'adopte à négliger son boulot et à dilapider ce qu'il gagne et vole.

Il est par ailleurs connu que les délinquants actifs sont fréquemment au chômage, mais ils ne sont pas vraiment des chômeurs perpétuels. Plusieurs passent alternativement du travail à la délinquance. D'autres combinent travail et délinquance, menant l'un et l'autre de front (Freeman 1999). À leurs yeux, les vols, les trafics illicites et le travail sont tous des moyens recevables pour faire de l'argent. Et comme ils en ont grand besoin, ils ne lèvent le nez sur aucun d'eux.

Ce qui les caractérise, c'est moins le chômage qu'un laisser-aller méprisant envers le travail. Quand ils ont un emploi, ils arrivent à l'usine un peu trop souvent en retard au goût du patron ; ils s'absentent sans explication et ils quittent sur un coup de tête (Gagnon 2004).

Se pourrait-il qu'un style de vie délinquant conduise au chômage et à la pauvreté, et non l'inverse ? L'antériorité des délits sur le chômage est l'un des faits qui rend plausible une réponse positive. Au cours de la vie, les vols en tous genres apparaissent bien avant l'âge où l'on peut commencer à se dire chômeur. Les trajectoires délinquantes commencent à l'adolescence, souvent même au cours de l'enfance. Elles précèdent, de loin, l'âge de l'entrée sur le marché de l'emploi et, d'ailleurs, la délinquance prédit le chômage (Rutter et coll. 1998 : 202). S'il est vrai qu'une cause ne peut suivre l'effet qu'elle est censée produire, soutenir que le chômage cause la délinquance est logiquement intenable.

De nos jours, pour décrocher un emploi stable, à temps plein et convenablement payé — conditions pour échapper à la pauvreté —, il faut avoir terminé ses études secondaires et disposer d'une compétence professionnelle. Un réseau ouvert de contacts avec des gens sur le marché du travail ne nuit pas. Or, Thornberry et coll. (2003 : 165-169) ont démontré que des délits fréquents et, plus encore, l'appartenance à un gang sont suivis de fortes probabilités d'échec dans les études, de décrochage scolaire et d'une perte d'amis non-délinquants. Cela signifie que la délinquance et ce qui vient avec empêchent d'acquérir les moyens d'échapper au chômage et à la pauvreté.

À tout prendre, le problème paraît avoir été mal posé. Ce qui caractérise le délinquant, c'est moins le chômage qu'un rapport au travail marqué au coin de l'inconstance et de la désinvolture ; c'est moins la pauvreté que la prodigalité. Enfin, la délinquance conduit plus sûrement au chômage et à la pauvreté que l'inverse.

Deuxième partie

Un solde positif

CHAPITRE 3

L'acte criminel entre le court et le long terme

LE CRIMINEL ET LA MORT. Il n'est pas exceptionnel qu'une mort violente — suicide, assassinat, accident — mette brutalement fin à une trajectoire criminelle. Les délinquants présentent des taux de mortalité précoce au moins deux fois plus élevés que les non-délinquants. À 40 ans, 8 % des jeunes délinquants étudiés par les Glueck au cours des années 1940 et 1950 étaient décédés, alors que le pourcentage correspondant de décès était de 4 % dans le groupe contrôle. Les délinquants se distinguaient fortement des non-délinquants par la fréquence des décès par homicide et par accident (Laub et Vaillant 2001). En outre, plus un individu s'engage profondément dans le crime, plus il s'expose à mourir tôt. Dans une cohorte de Stockholm, les pourcentages de sujets qui avaient perdu la vie entre 18 et 33 ans étaient de 1,3 % chez les non-délinquants; de 3 % chez les délinquants qui avaient au moins une condamnation à leur actif; de 4,7 % chez les individus condamnés deux fois ou plus et de 7,2 % parmi les sujets condamnés quatre fois ou plus (Tremblay et Paré 2002). En Angleterre et au Pays de Galles, Sattar (2001) a répertorié les décès, au cours des années 1996 et 1997, de tous les prisonniers et de tous les délinquants purgeant une sentence dans la communauté ou en libération conditionnelle. Ce chercheur a découvert que les taux de mortalité des délinquants en communauté sont quatre fois plus élevés que ceux de la population en général. Fait surprenant, les taux de mortalité des prisonniers sont deux fois plus bas que ceux des délinquants en communauté (voir aussi Lattimore et coll. 1997).

Pour le criminel, cette mort précoce n'est quelquefois que l'aboutissement d'une lente descente aux enfers. Avant d'être tué ou de se suicider, il avait accumulé des incarcérations de plus en plus longues, espacées de périodes de liberté de plus en plus courtes. Sa femme l'avait quitté. Ses enfants ne voulaient plus rien savoir de lui. Il n'avait plus pour amis que des abonnés de la prison comme lui. Ses forfaits l'avaient voué au mépris et à l'infamie. Des années durant, il avait vécu dans la crainte de ses créanciers et dans la terreur de ses ennemis. Toxicomane, sans emploi, sans amis, sans domicile fixe, il avait été acculé à vivre comme un clochard.

Y a-t-il plus funeste défi lancé au destin que de s'adonner au crime et à la violencc ? Les excès festifs sont pour beaucoup dans cette déchéance : Dionysos dévore petit à petit ses adeptes, et d'abord ceux qui lui vouent un culte trop assidu. Mais il y a autre chose : par ses crimes trop nombreux et trop graves, le criminel se retire du pacte de non-agression qui est au cœur du lien social et libère autrui de son obligation de renoncer à toute violence. Il déclare la guerre à la société tout entière. Et les sociétés rechignent à faire la paix avec les braqueurs, les violeurs et les meurtriers. Les délits et les crimes, parce qu'ils sont violence ou tromperie et parce qu'ils causent des préjudices ressentis comme injustes, suscitent inévitablement frustration, ressentiment et agressivité. La victime et tous les gens qui se solidarisent avec elle voudront que le coupable paye. Ils réclameront qu'il soit traîné en justice. Et la lourde machine répressive n'aura de cesse que quand elle l'aura broyé. Dans une société raisonnablement pacifiée et policée, des crimes graves ou répétés désignent son auteur à la vindicte publique et le placent hors du pacte social. Le criminel est alors forcé de se réfugier dans la compagnie de ses semblables avec lesquels il ne peut éviter de se quereller : parce qu'il ne paiera pas ses dettes, qu'il accaparera la part du lion du butin, qu'il convoitera la femme de son ami, qu'il ne tiendra pas parole... Après des années durant lesquelles le criminel a volé, trompé et agressé, il se trouvera entouré de gens qui lui en veulent à mort.

Le délai. Le contraste est saisissant entre les jouissances que procurent d'abord la délinquance et la vie festive et les démêlés qui finissent par empoisonner la vie des malfaiteurs. Ce qu'il importe de garder à l'esprit, c'est la séquence : le plaisir d'abord, la souffrance ensuite. À court terme, le crime apparaît comme une bonne affaire ; il procure à son auteur les moyens de faire la bringue et de mener la vie qu'il entend vivre. En revanche, à long terme, il n'apporte plus que des déconvenues, la prison, quelquefois la mort. Et plus un individu commet des délits ou plus ses crimes sont graves, plus ses perspectives d'avenir seront sombres.

L'action criminelle présente donc cette particularité d'apporter à son auteur de réels avantages à court terme et de terribles déboires à long terme. Pourquoi alors le délinquant actif opte-t-il pour cette ligne de conduite qui pourrait se révéler un jour catastrophique ? Pour deux raisons :

1. Au moment précis où il décide de perpétrer l'acte fatidique, son résultat immédiat pèse plus lourd dans son esprit que ses conséquences lointaines.
2. Il est porté à dédaigner les conséquences à long terme de ses actes.

La prédominance de l'immédiat

Quand un individu envisage de commettre un délit, l'ombre inquiétante des malheurs auxquels il s'expose se profile à l'horizon. Et s'il passe à l'acte, c'est précisément parce que cet horizon est lointain et mal perçu, alors que les profits qu'il en espère sont rapprochés. En effet, ce sont des résultats immédiats qu'il obtient par ses vols, braquages, viols : sans tarder, il empoche l'argent, prend son plaisir. Les délits et les crimes sont des moyens de jouir rapidement ou d'éviter un désagrément imminent (Felson 2002 : 37). Mais c'est sans compter avec le futur.

Appelons séquence temporelle d'une action la succession des résultats positifs et négatifs qu'elle entraîne incluant le laps de temps qui sépare cette action de ses résultats. Michel et Antoine entrent dans la pharmacie, braquent la pharmacienne, se font donner 400 dollars et fuient : 2 minutes et tout est terminé. Un mois plus tard, la police arrête Antoine, celui-ci dénonce Michel lequel est interpellé un mois plus tard, détenu puis condamné : deux mois entre le hold-up et l'arrestation de Michel et un mois pour Antoine. À l'instar du braquage, les résultats visés par le vol à l'étalage, le vandalisme, le viol, les coups et blessures suivent immédiatement l'acte délictueux. Les délais d'attente sont un peu plus longs avec le vol de voiture et le cambriolage, car alors il faut revendre les biens volés, mais ils restent beaucoup plus courts que les délais observés dans le monde du travail et des études. Le salarié doit travailler une semaine, un mois avant de toucher son salaire. Le laboureur attendra des mois la saison des moissons. Les études universitaires durent des années. D'un côté, les travailleurs et les étudiants s'échinent pendant un bon moment avant d'obtenir leur récompense ; de l'autre, les délinquants commencent par se faire plaisir, quitte à payer plus tard.

À l'instar des jeux et des conduites à risque, l'action délinquante est tout entière contenue dans le moment présent ou le futur imminent. Ces conduites visent une gratification intrinsèque et contemporaine à l'acte, comme dans l'alpinisme, ou le saut à l'élastique. La recherche de sensations fortes s'observe dans le vandalisme, le vol d'automobiles pour le plaisir de la balade, les incendies de voiture volée. Maints vols et violences sont aussi des conduites de risque : les voleurs et agresseurs prennent plaisir à s'exposer peu ou prou à l'arrestation. Leurs transgressions leur font éprouver jubilation, intensité, sentiment d'exister pleinement (Cusson, 1981).

Si un crime a été commis, c'est qu'au moment décisif, il présentait aux yeux de son auteur des avantages immédiats et quasi certains contre des coûts lointains et hypothétiques. La primauté donnée au plus tôt sur le plus tard lors du passage à l'acte est inscrite dans la nature même de l'action criminelle conçue comme un moyen sanctionnable d'atteindre un résultat rapide. Elle apparaît donc comme axiomatique : vérité évidente et nécessaire. Aucun délit ou crime n'aurait pu être perpétré si, au moment des faits, le délinquant avait accordé plus de poids aux conséquences néfastes pour lui, mais tardives et incertaines de l'acte qu'à son résultat imminent. Un crime ne peut être commis que si, juste avant l'acte, le présent et le futur imminent prévalent sur le moyen et le long terme.

Cette domination du présent signifie que la situation telle qu'elle apparaît au délinquant potentiel à l'instant même où il se détermine exerce une influence décisive sur son choix. Car c'est cette situation qui l'informe sur les résultats immédiats de la ligne d'action qu'il envisage. On comprend alors l'efficacité de la prévention situationnelle : gardes de sécurité, antivol, caméras de télésurveillance, etc. Ces mesures agissent au moment même et au lieu même où se prend la décision cruciale.

Pourquoi l'immédiat s'est-il imposé à l'esprit du délinquant au moment du passage à l'acte ?

Quatre raisons viennent à l'esprit.

Nous préférons tous le plus tôt au plus tard — Les êtres humains — et pas seulement les délinquants — n'aiment pas attendre. « Toutes choses égales par ailleurs, la satisfaction proche dans le temps est préférée à celle qui est plus tardive. » (Von Mises 1963 : 507) Seul le présent est réel : c'est dans le moment présent que nous vivons, que nous sentons, que nous jouissons. Cela prend un effort d'imagination pour envisager l'avenir et un effort de volonté pour en tenir compte. Cette attitude fondamentale devant le temps, les stoïciens l'avaient érigée en sagesse, le *carpe diem*, comme l'a fort bien expliqué Luc Ferry (2002) : « Il n'est d'autre réalité que celle vécue ici et maintenant. » Il poursuit : « L'instant le plus important de notre vie est celui que nous vivons en ce moment même, et les personnes qui comptent le plus sont celles qui sont en face de nous. Car le reste n'existe tout simplement pas, le passé n'étant plus et l'avenir n'ayant encore aucune réalité. » (297) Il ne faut donc pas se surprendre si certains se laissent aller à violer la loi : ils cèdent de la tentation commune de donner préséance au moment présent.

Toute décision humaine met dans la balance un présent certain et un avenir incertain — L'avenir n'est que spéculations et, plus il est lointain, plus il est aléatoire. Il est normal que la certitude présente influence plus fortement nos choix que d'incertaines hypothèses sur ce qui nous arrivera peut-être. Tout délit comporte un risque. Mais c'est aussi le lot d'un grand nombre d'actions humaines.

Ni les entrepreneurs, ni les investisseurs, ni les joueurs ne sont assurés de gagner. Pour leur part, les délinquants ne sont jamais certains de se faire épingler au moment où ils entrent en action. Des enquêtes britanniques et américaines font voir qu'à l'instant où ils décident de cambrioler ou de braquer, 80 % des délinquants étudiés étaient certains ou presque d'échapper à la police. Les autres prenaient un risque qu'ils savaient faible (Bennett et Wright 1984 ; Shover 1996 : 156-158). Comme la probabilité réelle des peines est faible (moins de 10 % pour un cambriolage), les délinquants n'ont même pas besoin de poser une hypothèse optimiste pour se convaincre qu'ils risquent peu.

L'urgence escamote l'avenir — L'urgence se définit par la nécessité d'agir vite. L'individu attaqué par surprise perd toute notion de l'avenir. Dans le feu de l'action, toute son attention se concentre sur la situation actuelle. Il n'a pas le loisir de peser le pour et le contre, de spéculer sur les conséquences lointaines de ces actions : avant tout, il veut empêcher que le pire n'arrive. Face à la victime qui résiste, une arme à la main, ou aux tueurs à gages venus le supprimer, le truand n'a d'autre issue que de se concentrer totalement sur le présent.

Le désespoir enlève tout poids à l'avenir dont on n'attend plus rien de bon — Les désespérés sont capables du pire parce qu'ils ont le sentiment de n'avoir aucun avenir. Ils ne sont donc pas retenus par la crainte d'une perte future. Certains grands criminels, comme Mesrine, en étaient arrivés au point où leur seul avenir était la mort violente ou la prison à perpétuité : n'ayant rien à perdre, ils n'étaient arrêtés par rien. Des malfaiteurs de moindre envergure, mais toxicomanes, sans famille, sans emploi, sans ami s'abandonnent à la dérive. « *J'avais plus de papiers, je viens de tirer quatre ans et demi, j'avais plus de femme, j'avais aucun lien familial, j'avais aucune attache, ça fait que j'étais le kamikaze idéal, c'est-à-dire j'étais prêt à tout.* » (Chantraine 2004 : 105) De tels individus « se laissent aller comme des jouets au gré des événements. » (Gassin 2003 : 465) Le désespoir est criminogène car il oblitère l'avenir, enlevant toute efficacité aux sanctions.

S'il est vrai que, par nature, l'acte criminel découle d'une préférence pour le présent, se pourrait-il que les individus qui s'adonnent au crime aient, plus que d'autres, tendance à ne tenir compte que du moment présent ?

Le présentisme

En 1981, parce que j'étais insatisfait du terme impulsivité utilisé par une foule d'auteurs et du mot labilité proposée par Pinatel (1975), je me suis permis de forger un néologisme : le présentisme. Je voulais rendre par un mot plus juste une série d'observations faites sur les délinquants chroniques. Indépendamment de leurs activités délictueuses, ils mènent une vie qui trahit une tendance générale à ignorer ou à sacrifier l'avenir. À l'école, ils étudient peu et mal ; ils n'ont pas d'ambition et décrochent tôt. Sur le marché du travail, ils préfèrent un emploi précaire bien payé à un autre qui offrirait une bonne perspective de carrière ; au premier accrochage avec le patron, ils quittent leur emploi en claquant la porte. Ils ne mettent pas d'argent de côté. Et ils ruinent leur santé à faire la fête nuit après nuit. L'avenir n'intéresse pas ces hommes et, surtout, ils ne font rien pour l'assurer. Ils sont prisonniers du présent.

Ce trait peut servir à la prédiction. Entre 8 et 12 ans, les enfants qui deviendront des délinquants chroniques se distinguent des enfants de leur âge par une plus grande impulsivité ; ils agissent sans réfléchir ; ils ne tolèrent pas qu'une récompense ne leur soit pas donnée tout de suite ;

ils ne planifient pas (Farrington 1997 : 385-386 ; Rutter et coll. 1998 : 147 et 176).

Pour Michel Born (2003), le présentisme s'impose comme une caractéristique psychologique du délinquant chronique. Celui-ci s'inscrit dans une perspective temporelle très courte. Il a de la peine à se situer dans l'avenir. Ses projets sont irréalistes. Il ne supporte pas les délais. Il paraît incapable d'anticiper les conséquences de ses actes. Quand il veut quelque chose, il passe immédiatement à l'action, sans penser (p. 211).

En 1990, Gottfredson et Hirschi plaçaient au cœur de leur théorie générale de la délinquance une notion assez voisine. Selon eux, la prédisposition au crime et à la déviance tient à une carence : une maîtrise de soi insuffisante (*low self-control*). Cette insuffisance est inégalement distribuée dans la population. Les individus qui ont très peu de contrôle de soi ne résistent pas à la tentation du moment ; ils ne tiennent pas compte des conséquences négatives et lointaines de leurs actes, seul compte l'intérêt à court terme ; ils manquent de persistance ; ils ont le goût du risque et de l'aventure et ils sont indifférents aux besoins et aux souffrances d'autrui. Cette carence ne s'exprime pas seulement par l'activité criminelle, mais aussi par une série d'actes plus ou moins déviants, « équivalents » au délit : consommer de la drogue et de l'alcool, fumer, faire l'école buissonnière. Tous ces actes ont ceci en commun qu'ils procurent un plaisir immédiat, cependant qu'ils entraînent des coûts à long terme (p. 89-95).

Gottfredson et Hirschi ont mis de l'avant la notion de faible contrôle de soi dans le but de coller le plus près possible à la réalité de la délinquance et de la déviance. Ces deux criminologues ont voulu capter en un seul concept fourre-tout les principales caractéristiques dont est faite la prédisposition à la délinquance. Cependant, cette solution présente l'inconvénient d'inclure des éléments qui ne relèvent pas à strictement parler du contrôle de soi, notamment l'indifférence affective et la prise de risque.

Une méta-analyse portant sur 21 études (pour un total de 49 727 sujets) établit hors de tout doute que le « faible contrôle de soi » mesuré, soit par les attitudes, soit par les comportements, est un puissant facteur de la délinquance. Cependant son effet s'amenuise avec les années. Cela signifie que nous ne sommes pas en présence d'un trait de personnalité stable (Pratt et Cullen 2000).

Il est vrai que nous sommes tous plus fortement motivés par un résultat rapide plutôt que tardif. Mais ce qui distingue le présentiste, c'est que les conséquences à moyen ou à long terme de l'action qu'il projette exercent sur lui une influence beaucoup plus faible que sur la plupart d'entre nous. Il est plus démotivé que les autres par l'allongement du laps de temps entre le moment de l'action et celui où le résultat se produit. Il n'opère pas la jonction entre le maintenant et le plus tard. Ses réactions sont trop déterminées par les circonstances et les événements. Dans la situation précriminelle, il ne tiendra compte que de ce qu'il a sous les yeux. Plus profondément, cette insouciance vis-à-vis de l'avenir l'enfermera dans un mode de vie dont les conséquences finiront par se révéler néfastes.

Cependant, le présentisme n'est pas toujours à handicaps. C'est ce que Morselli et Tremblay (2004 a et b) ont découvert. Ils ont obtenu le résultat inverse à celui auquel ils s'attendaient quand ils ont eu l'idée de calculer la corrélation entre le faible contrôle de soi et les revenus amassés grâce au vol et à la fraude. À leur surprise, ils ont constaté que les gains criminels varient en raison du faible contrôle de soi. Cela signifie que, parmi les voleurs, braqueurs et fraudeurs, le présentisme est non un handicap, mais bien un atout : il s'accompagne de nus criminels supérieurs. Pourquoi ? Probablement parce qu'un voleur impulsif et téméraire sautera sans hésitation sur toutes les bonnes occasions, s'assurant ainsi de bonnes rentrées d'argent, cependant que son camarade, plus soucieux de l'avenir, réfléchira, tergiversera et l'occasion lui filera sous le nez. Dans un environnement incertain et dangereux — comme celui dans lequel évolue le truand — on a intérêt à avoir les réflexes rapides. C'est même un gage de survie. Tirer le premier. Comme le guerrier d'hier, le bandit d'aujourd'hui doit pouvoir faire face aux dangers, être vif comme l'éclair et se concentrer totalement sur le moment présent. Il doit jeter par-dessus bord la prudence, la maîtrise de soi, les soucis pour l'avenir. Rien de nouveau : en 1508, Érasme notait ironiquement que « peu de gens comprennent l'immense avantage de ne jamais hésiter et de tout oser. » (p. 36) Le présentisme est paradoxalement un mode de fonctionnement adapté dans le monde du crime.

La force de caractère nécessaire pour prendre le futur comme guide du présent est sans doute le fruit d'un apprentissage. À la maison puis à l'école, l'enfant bien élevé apprend à contrôler ses impulsions, à attendre et à réfléchir avant d'agir. Les adultes l'encouragent à se fixer des objectifs qui se réaliseront dans plusieurs années : aller à l'université, devenir ingénieur... Ils lui font comprendre que ce qu'il fait aujourd'hui influe sur sa capacité d'être heureux demain. Le présentisme paraît donc résulter d'une carence éducative.

Toutefois, ce qui est une carence dans le monde du travail cesse d'en être une au sein du milieu criminel. Car, dans cette jungle, garder les yeux braqués sur l'instant présent peut être un gage de succès, quelquefois de survie.

À la réflexion, le présentisme apparaît, paradoxalement, comme une faiblesse qui se révèle une force dans certains contextes. En effet, il est facteur d'inadaptation dans les organisations modernes où les employés ont intérêt à s'inscrire dans la longue durée. En revanche, il devient un atout pour les membres du Milieu qui s'adonnent à une activité prédatrice.

CHAPITRE 4

Voler impunément

> *« Des cambriolages dans les appartements ou les maisons, j'en ai fait plus d'une centaine. Les vols dans les magasins, je ne pourrais pas les compter ; les vols de voitures, plusieurs dizaines. Avant de tomber pour ma première affaire, je ne me suis jamais fait prendre, on se faisait bien attraper de temps en temps par les gardes du supermarché, mais ils se contentaient de noter notre nom. Pas un, jamais, n'a un jour appelé chez moi ou prévenu mes parents. À la limite, ils nous surveillaient un peu plus quand ils nous voyaient revenir, mais ça ne nous a jamais empêchés d'y retourner et de continuer à voler. Ainsi, on volait sans être véritablement inquiétés, quasiment au vu et au su de tous qui savaient ce que l'on faisait, et encouragés par certains. »*
>
> (Kherfi et Le Goaziou 2000 : 30)

Dubé est un voleur québécois qui en vint à commettre un meurtre. Après avoir passé plus de 30 ans en prison, il a tenu à raconter sa vie. N. Girard (2003) a recueilli ses propos. Voici ce que cet homme rapporte à propos de vols auxquels il s'adonnait au cours de son enfance et de son adolescence :

> *« À 6 et 7 ans, je vole souvent. Des fois, je vole tout seul et d'autres fois, je suis avec un gars de mon bout.* [...] *Une fois que j'ai pris assez de bouffe, je l'apporte chez nous et on la mange. Ça ne fait pas de problèmes quand j'amène de la bouffe, ma mère ne pose pas de question. »* (p. 52)

« Le temps passe et je continue à voler un peu partout. Je vole à l'épicerie Roland-Pelletier, tout le monde sait qu'il vole ses clients lui, ça fait qu'il peut, peut-être, nous en donner un peu. Quand je ne fais pas le coup avec des gars de mon bout, je vole tout seul. On défonce pendant la nuit et on prend des cartons de cigarettes, l'argent et les affaires qui coûtent cher et qui se vendent bien. C'est tout le temps moi qui dirige les opérations. Avec ces vols-là, j'ai fait pas mal d'argent, j'ai du fric tout le temps, même que, maintenant, je pense que c'est moi le plus riche. » (p. 57)

« Quand je vais à l'église, je vole les gens qui chantent. C'est super facile parce qu'ils accrochent tous leurs manteaux dans l'entrée. Ça fait que j'ai juste à passer et faire les poches de toute la chorale et je ramasse tout ce qu'ils ont. » (p. 64)

« Je continue à faire des vols simples et des vols par effraction. Je vole ici et là, sur le port, dans les bateaux, à l'église, à l'épicerie, à l'école. Bref, je vole un peu partout ; je ne fais rien d'énorme mais j'en fais tout le temps. Des fois, je vole aussi avec deux ou trois gars de mon quartier. J'organise toute la patente et eux ils me suivent. L'autre jour, leurs parents disaient que c'est moi qui les entraînais dans le vice. Ma mère n'était pas contente de les entendre dire çà et elle leur a dit sa façon de penser, ça je vous le jure. Ma mère prend beaucoup pour nous autres et elle nous défend. » (p. 68)

« Quelques années passent et là, je fais des introductions par effraction avec d'autres gars. On prépare notre coup et on entre à l'intérieur de l'école et de l'épicerie pour aller voler de l'argent, des cigarettes... » (p. 69)

Ces deux garçons dont les très nombreux vols n'ont pratiquement jamais été sanctionnés sont-ils des exceptions ? Comment se fait-il que de tels voleurs échappent si souvent à la sanction ? Je me propose de répondre à ces questions dans le présent chapitre.

Que vaut l'idée de sens commun voulant que l'impunité enhardisse le larron et l'encourage à recommencer ? Est-il vrai que si un voleur échappe souvent à la plupart des sanctions, il aura tendance à s'incruster dans le crime ? J'aborderai ces questions dans les deux prochains chapitres.

Le Robert propose deux définitions de l'adverbe « impunément » : « Sans être puni » et « Sans dommage pour soi, sans s'exposer à aucun risque, à aucun danger, à aucun inconvénient ». Le deuxième sens englobe le premier. C'est lui, plus inclusif, que je retiens. En effet, un voleur ne s'expose pas seulement à la sanction pénale, mais aussi à être battu par le volé, à être stigmatisé... Voler impunément, c'est échapper à tous ces dangers.

Les sanctions auxquelles un voleur s'expose, et auxquelles les deux individus évoqués plus haut ont échappé, peuvent être classées en trois catégories :

1. *Les sanctions pénales* englobent celles qui relèvent de la police et de la justice : l'arrestation, les poursuites, la condamnation, l'amende, la probation, la prison...
2. *Les sanctions situationnelles* sont les déboires et mésaventures auxquels un voleur dans le feu de l'action s'expose : la victime pourrait surgir et lui flanquer une raclée ; une alarme risquerait de se mettre à hurler et ameuter les voisins ; un chien de garde pourrait le mordre...
3. *Les sanctions sociales* émanent des proches du voleur, de son entourage immédiat. Comment réagiraient ses parents, amis, camarades et collègues s'ils apprenaient qu'il se permet de dépouiller et d'arnaquer les gens ? S'exposerait-il à être blâmé, pointé du doigt, puni, ostracisé, congédié ?

Le droit pénal manque le coche

Voici quelques chiffres sur les risques pénaux du vol.

- En France, en 2003, les taux d'élucidation des cambriolages (le pourcentage des faits constatés que la police parvient à élucider) est de 9 % et il est de 6 % pour les vols liés à l'automobile et aux deux roues (Direction centrale de la police judiciaire, 2004). Sachant qu'environ la moitié des vols sont rapportés à la police, les pourcentages d'élucidation réels se situent dans les environs de 4,5 % pour les cambriolages et de 3 % pour les vols liés à l'automobile.
- Au Québec, en 2002, la police solutionne 13 % des introductions par effraction et, au Canada, 62 % des victimes rapportent les introductions par effraction à la police. Un voleur qui commet un tel délit s'expose donc à un risque d'arrestation de 8 % (Ouimet 2003 et 2005).
- Aux États-Unis, 2 % des cambriolages se soldent par une condamnation. L'évacuation des 98 % restants est rondement menée : de 3,6 millions de cambriolages (estimés par le sondage de victimisation), on tombe à 1,3 million rapportés à la police ; celle-ci ne procède qu'à 200 000 arrestations. Enfin, les juges ne prononcent que 72 000 condamnations (Felson 2002 : 5).
- À Montréal, à peine 1,66 % des délits commis par les jeunes délinquants les plus actifs ayant comparu devant un juge des mineurs conduisent à une arrestation. Pour obtenir ce chiffre, Gagnon (2004) prend, parmi 470 jeunes de 13 à 17 ans ayant été jugés à la Cour de la jeunesse, les 25 % ayant reconnu avoir commis le plus grand nombre de délits (vols simples, par effraction,

> vols d'auto, vandalisme...). Or, ces délinquants prolifiques (nombre moyen de délits : 156) n'ont été arrêtés, en moyenne, que 2,6 fois : 1 fois par 60 délits.

C'est une semblable impunité qui conduisit Gassin, en 1985, à annoncer que, en France, les politiques criminelles étaient en crise. La justice pénale, écrivit-il, n'arrive plus à suivre la croissance du nombre de délits et de crimes. Il reprend le même constat dans l'édition de 2003 de son manuel *Criminologie.* Avec des pourcentages de classement sans suite à hauteur de 90 %, l'appareil répressif ne se saisit plus que de « l'écume de la criminalité ». La justice n'est pas seulement moins efficace qu'autrefois, elle « confine à l'impuissance » (p. 387). Or, cette évolution résulte de la croissance même de la criminalité qui creuse de plus en plus le fossé entre les moyens de la répression et le contentieux, de telle sorte que « les crises des politiques criminelles sont à la fois effet et cause de l'accroissement de la criminalité » (p. 395).

Durant la deuxième moitié du XXe siècle, la quasi-totalité des vols ont été discrètement dépénalisés. Aujourd'hui, nous héritons de cette évolution. Les victimes ne signalent plus que la moitié des cambriolages. La police n'enquête guère plus. La poursuite ne poursuit plus. Les juges ne prononcent plus de peines, au sens propre, de sanctions qui font mal. Et dans les rares cas où ils en prononcent une, il n'est pas du tout sûr qu'elle sera exécutée jusqu'au bout. Malgré tout, persiste l'illusion voulant que la répression des délits contre la propriété relève de la responsabilité de la police et de la justice. Mais l'on y croit de moins en moins : dans les entreprises et les commerces, pour se protéger contre le vol, on s'en remet à la sécurité privée et à la prévention situationnelle, non au système pénal.

Comment la justice pénale s'est-elle ainsi délestée de l'immense majorité des délits contre la propriété ?

Tout se passe comme si le système répressif tel qu'il opère aujourd'hui n'avait été conçu que pour les crimes graves. En effet, quand un meurtre est signalé à la police, et il l'est presque toujours, les enquêteurs se mettent vraiment au boulot et, les trois quarts du temps, ils trouvent le meurtrier. Celui-ci est presque toujours poursuivi, condamné et, enfin, réellement châtié. Mais parce que, dans de telles causes, les enjeux sont énormes, parce que, dans un État de droit, nul ne peut être privé de sa liberté à la légère et parce que nous détestons l'arbitraire, la procédure pénale entoure les accusés d'une série de protections, à commencer par le droit à une défense pleine et entière. Résultat : une machine lente, procédurière et ritualiste. Elle est adaptée aux causes de meurtre ou de viol. Mais cette bureaucratie se révèle dysfonctionnelle devant la multiplication des vols et incivilités.

Dès le XIXe siècle, l'augmentation de la petite et moyenne délinquance est perceptible. Le mouvement s'accélère à partir de 1960 : croissance soutenue du nombre des vols simples, cambriolages, vols de voitures, dégradations, méfaits. Et le téléphone n'arrange rien : les citoyens appellent de plus en plus souvent la police. C'est par million qu'ils signalent, chaque année, des infractions aux autorités. Comment ce système pénal qui consacre beaucoup de temps et de ressources au traitement d'une seule infraction absorbera-t-il la masse croissante des vols et des incivilités ? Obéissant à la logique qui est la sienne, l'appareil traitera une seule infraction et un seul accusé à la fois avec un luxe de précautions et de garanties procédurales. Or, les vols et les incivilités surviennent souvent en grappes : série de vols à l'étalage dans un grand magasin, épidémie de feux de poubelles dans une cité... Il n'y a pas de commune mesure entre le modeste préjudice causé par un de ces actes pris isolément et la lourdeur de son traitement policier, judiciaire et correctionnel.

Paradoxalement il est plus facile d'élucider les crimes graves que les vols. Au Québec, la moitié des homicides sont familiaux ou querelleurs : un individu supprime sa femme, ou se bagarre avec un compagnon de beuverie et lui porte un coup mortel (Cusson et coll. 2003). Dans de telles affaires, les fins limiers de la police n'ont qu'à recueillir les aveux du suspect et les déclarations des témoins. Analysant une centaine d'homicides et tentatives commis en France, Mucchielli (2004) constate que, dans 63 % des affaires jugées, l'auteur avait soit attendu l'arrivée de la police, soit prévenu un tiers ou les policiers, soit s'était rendu. Dans la moitié des cas, des témoins avaient apporté des informations déterminantes à l'élucidation du crime. La tâche des enquêteurs est beaucoup moins facile quand on leur demande d'élucider une introduction par effraction ou un vol d'auto. Ils partent alors très souvent de zéro : ni suspect, ni témoin, ni trace, ni piste. Et que dire des vols à l'étalage ! Il se pourrait bien que la difficulté d'une enquête varie en raison inverse de la gravité de l'infraction. Devant les difficultés d'élucider ce qui leur semble des broutilles, les policiers font ce que la plupart d'entre nous feraient : ils baissent les bras.

Bref, cet appareil qui réussit à traiter, un à un, un nombre limité de crimes graves se révèle hors jeu devant la marée montante des microdélinquances. Il les rejette comme des corps étrangers : les victimes ne rapportent pas, les policiers n'enquêtent pas, les magistrats ne poursuivent pas.

Et qu'arrive-t-il aux voleurs dans les 2, 3 ou 4 % des cas où ils sont trouvés coupables ? Les sanctions qu'on leur réserve sont symboliques ou clémentes : admonestation, sursis, probation, amende. La volonté de punir n'est pas au rendez-vous. Les juges sont désabusés ;

ils ont perdu toute capacité d'indignation. Et puis ils subissent l'influence de l'air du temps. Ce « sentiment de bienveillance universelle » dont parle Michaud (2002) inhibe leurs velléités de sévir. Comme la plupart de nos contemporains, ils sont portés à la sympathie, à la gentillesse, à l'attendrissement. Leur premier mouvement est de vouloir soulager la souffrance. Un tel sentiment « paralyse la sévérité des jugements. » (Michaud : 144)

Les victimes protègent mal leurs biens et ne résistent pas fort

Vue avec les yeux d'un voleur, la société contemporaine apparaît comme un immense réservoir de biens tentants qui ne demandent qu'à être cueillis. Dans les boutiques et les grands magasins, ils trouvent des étalages mirifiques et mal surveillés. Dans les petits commerces, les braqueurs ne sont pas sans savoir que les caissiers sont résolus à ne leur opposer aucune résistance. Partout dans les rues et les stationnements, on trouve des voitures prêtes à partir avec le premier voleur capable de désamorcer un dispositif antivol.

Un autre ingrédient de l'impunité, l'abondance des cibles vulnérables, c'est-à-dire de biens à prendre sans « risque situationnel ». J'entends par là les dangers qui surgissent au moment même où le délit est commis : riposte de la victime, intervention d'un garde de sécurité ou, dans un magasin, d'un vendeur, détection par une caméra de télésurveillance...

Quand un commerçant est confronté à un braqueur déterminé, il n'oppose guère de résistance, d'autant qu'on le lui déconseille. Et il ne fera pas la folie de prendre son voleur en chasse. Où serait son intérêt ? Un braqueur en veut-il à l'appareil photo d'un passant ? Ce dernier n'y est pas particulièrement attaché et il est couvert par sa police d'assurance. Il le remplacera par un nouveau modèle, beaucoup plus performant : il le cède. Et si le braqueur convoite son argent, il lui remet sa bourse pour garder la vie. D'ailleurs, il a perdu le réflexe et le courage de riposter. Il a trop bien appris la non-violence après des siècles de « civilisation des mœurs ». Attaquée soudainement, la victime qui a refoulé profondément sa violence ne saura la mobiliser en temps utile. Momentanément paralysée par la surprise et la peur, elle laisse à son agresseur les secondes nécessaires pour s'emparer de son bien et fuir.

Et les témoins des vols ne se révèlent pas tellement plus courageux. Ils regardent ailleurs (Roché 2001 : 91).

En somme, les risques situationnels du vol, c'est-à-dire les dangers auxquels s'expose le malfaiteur dans le feu de l'action, sont fort bas. Tout voleur à l'affût trouve sans peine des biens mal surveillés, des victimes soumises et des tiers passifs.

Quand les proches du voleur manifestent de la complaisance

La question a été posée plus d'une fois lors d'enquêtes auprès de larges échantillons d'adolescents : « Comment réagiraient vos parents (ou vos camarades) s'ils apprenaient que vous avez commis un vol ? » Réponse typique des délinquants très actifs : personne ne dirait rien. À l'autre extrémité, les non-délinquants disent s'attendre à être fermement réprouvés. Autre question, posée aux délinquants cette fois-ci : « Comment vos amis ont-ils réagi quand ils ont appris que vous avez été arrêtés par la police ? » Réponse la plus courante : ils n'ont rien vu de mal à cela (Tittle 1980 ; Paternoster 1987 ; Grasmik et Bursik 1990 ; Bachman et coll. 1992 ; Le Blanc 2000 ; Warr 2002 : 69). Un facteur d'impunité spécifique aux voleurs invétérés tient au fait que leurs proches s'abstiennent de réprouver leurs incartades. Ils sont protégés des conséquences de leurs transgressions grâce à la connivence de leurs pairs et au silence de leurs parents. Ils vivent comme dans une bulle, à l'abri de la réprobation et des sanctions. Ils ne reçoivent pratiquement jamais le message que leurs agissements sont répréhensibles.

Récapitulons. Pour empêcher la délinquance de passer, nos sociétés ont tendu trois filets : la réprobation des proches, la protection situationnelle des cibles et la sanction pénale. Les délinquants suractifs réussissent presque toujours à passer au travers des mailles de ces trois filets parce que, premièrement, dans leur milieu, personne ne songe à les censurer ; deuxièmement, parce que nos compatriotes ne tiennent pas à défendre leur propriété avec la dernière énergie ; et, troisièmement, parce que le système pénal n'est pas taillé pour réprimer la petite délinquance de masse.

Le sens commun et la psychologie du comportement se rejoignent : l'impunité devrait encourager le délinquant à persister, ses succès lui tournant la tête et lui donnant l'impression que tout est permis. Que vaut cette intuition ? Le lecteur trouvera une réponse dans les deux prochains chapitres.

CHAPITRE 5

Le rôle du blâme et des jugements moraux

PENDANT SES SÉJOURS EN PRISON, Boudard (1989) fut frappé par l'incapacité de certains meurtriers à prendre la mesure de la gravité de leur crime. « *Ils mettent beaucoup de temps avant de reconnaître ce qui semble à tous un acte des plus répréhensibles.* » Il rapporte le mot de l'un d'eux qui attendait son procès pour meurtre : « *C'est la première fois, j'aurai le sursis.* » (p. 17)

Aveuglement semblable devant cette forme de viol collectif appelée « tournante ». Voici ce que racontent Henni et Marinet dans *Cités hors-la-loi* (2002).

> Le premier viol a lieu au domicile des jeunes filles (âgées de 13 et 14 ans). Des garçons du voisinage profitent de l'absence des parents pour forcer la porte. Ils savent ce qu'ils veulent : les filles seront obligées de leur pratiquer des fellations. Humiliées, terrifiées, elles ne diront rien à leurs parents. Les agresseurs n'en resteront pas là. Désormais, les filles sont régulièrement attendues à la sortie des cours et amenées dans les caves. L'un de ces endroits sera même surnommé "la cave aux putes". [...] Ici, des jeunes gens attendent leur tour comme s'ils se présentaient à un guichet administratif. [...] La scène se reproduira une dizaine de fois. Les victimes sont battues par l'une des terreurs du quartier si elles font mine de se rebeller. Trois mois de calvaire et les garçons les laissent enfin tranquilles.
>
> (p. 162-163)

Les jeunes filles finissent par se confier et neuf garçons sont arrêtés et poursuivis pour viol.

> Dans un premier temps, ils vont tous nier farouchement, mais sept d'entre eux finissent par reconnaître les faits ou plutôt confirmer qu'ils ont eu des relations sexuelles avec des jeunes filles consentantes. (p. 163)

> L'une des jeunes filles quittera la cité immédiatement pour se réfugier en province. L'autre sera menacée de mort et devra s'enfuir à son tour. Depuis, elle a tenté de se suicider. (p. 163)

Voici maintenant comment un garçon de la cité commente ces événements avec l'approbation bruyante d'une douzaine de ses camarades :

> « *Si les filles veulent tourner entre plusieurs personnes, qu'elles le fassent ! Tant que c'est pas ma sœur, je m'en tape ! Les viols, les viols ! Faut pas exagérer avec les viols ! Tant qu'on les a pas forcées, c'est qu'elles sont consentantes. Personne ne les a forcées à descendre dans les caves !* » (p. 160)

Enfin, commentaire de l'éducateur qui vit depuis plusieurs années dans la cité :

> « *Trop de jeunes n'ont pas conscience de la notion de délit. Pour un viol, ils parlent de "tournante" et pour un vol avec violence de "bêtise". On les voit ensuite arriver au tribunal sans aucune notion de la peine qu'ils encourent, mais avec l'idée qu'ils pourront "s'arranger" avec les magistrats, comme s'ils passaient un deal avec leurs potes au bas de l'immeuble. Ils s'étonnent ensuite d'être condamnés.* » (p. 248)

Ces violeurs ne savent pas bien, ou ne veulent pas savoir qu'un viol est un viol. Plus précisément, ils croient que ces crimes n'en sont pas vraiment ni ne méritent d'être sévèrement châtiés. Dans ces conditions, rien dans leur conscience morale ne les retient de les perpétrer.

Dans le chapitre précédent, le problème de la sanction était posé en termes instrumentaux : les vols rapportent à leurs auteurs et les sanctions annulent leurs gains. Dans le présent chapitre, il est posé en termes normatifs : la transgression bafoue une valeur et la sanction exprime un blâme, réitère que la règle violée a toujours cours.

Depuis Durkheim, les sociologues ne sont pas sans savoir que, devant le crime, les représentants de la société sentent le besoin de réaffirmer leur attachement à la valeur mise en danger par la transgression, de réitérer la distinction entre le bien et le mal que le criminel semblait avoir oubliée. Le blâme a pour fonction de raffermir la conscience morale vue comme un obstacle dressé devant le crime. Les êtres humains ne se retiennent pas de mal agir seulement par calcul, mais aussi par sentiment du bien et du mal. Loin d'être des utilitaristes purs, il leur arrive d'obéir à une règle même quand cette conformité ne coïncide pas avec leur intérêt.

Dans ce chapitre, nous verrons que, comme les meurtriers et les violeurs dont il vient d'être question, les délinquants suractifs entretiennent des notions floues et tordues de faute et de gravité. Ils ne voient pas ce qu'il y a de mal à voler, frauder ou braquer. Et quand ils concèdent que ce sont là des fautes, elles ne leur paraissent pas bien graves. Ils commettent ces actes sans honte véritable et sans culpabilité vraie. Et si on les en blâme, ils diront ou se diront : « Il n'y a rien là ». S'ils raisonnent ainsi, c'est parce que, dans leur milieux — et d'abord, dans leur bande de copains — leurs mauvaises actions rencontrent silence ou connivence, rarement réprobation ou indignation. Dans ce vide normatif, les notions du bien et du mal perdent leur clarté et leur fermeté. Ils peuvent alors se permettre de voler, de frauder et d'agresser sans avoir le sentiment de mal agir.

Les données empiriques permettant d'étayer ce propos ne manquent pas. Nous verrons d'abord comment une délinquance impunie contribue à l'érosion des jugements de gravité.

LES SANCTIONS SENSIBILISENT À LA GRAVITÉ DES ACTES CRIMINELS

L'enquête de délinquance autorapportée auprès d'un échantillon représentatif de 2 288 écoliers de 13 à 19 ans des villes françaises de Grenoble et Saint-Étienne réalisée par Roché (2001) fait voir le rapport entre la délinquance et les perceptions de gravité. « Voler une voiture, demande Roché aux écoliers, est-ce un délit très grave ? » Seulement 35 % des individus coupables de 10 petits délits ou plus répondent « oui », alors que 60 % des non-délinquants trouvent que c'est très grave (p. 194). « Et agresser ou frapper quelqu'un, est-ce un délit très grave ? » Seulement le quart des délinquants les plus actifs répondent « oui », contre 47 % de réponses positives chez les jeunes qui n'ont commis aucun petit délit. Roché conclut en ces termes : « Plus on commet de petits délits, moins on pense qu'il s'agit de délits graves, et moins on pense que les délits graves sont vraiment graves. Les résistances morales cèdent sous la routine. » (p. 193) « La multiplication des actes peu graves affecte aussi la perception des actes plus sérieux, qui semblent plus acceptables. » (p. 194-195) Le garçon qui estime que les cambriolages sont des délits insignifiants trouvera que les braquages ne sont pas vraiment graves. Par ailleurs, Roché insiste sur l'impunité dont jouissent les délinquants. Le fait de commettre fréquemment des délits non punis conduit son auteur à revoir à la baisse la gravité de toutes les infractions.

Les réactions des pairs à la délinquance de leurs camarades exercent aussi une influence sur la conduite délinquante. Les jeunes gens dont les amis trouvent que le vol « n'est pas vraiment mal » versent plus souvent que d'autres dans la délinquance (Grasmick et Bursik 1990 ; Thornberry et coll. 1994).

Les adolescents et les adultes testent les limites de la tolérance sociale ; ils explorent les frontières du permis et du défendu. S'ils ne rencontrent ni intolérance ni frontière, ils y verront un acquiescement, une licence. C'est par le blâme et la peine que cette frontière est tracée. Le crime ostensiblement impuni fait scandale ; il jette le doute dans l'esprit des spectateurs qui s'interrogeront : se pourrait-il que la loi n'ait plus court ? Cela Durkheim (1923) l'avait bien expliqué. Le blâme, et la peine dont elle est l'expression forte, communiquent au coupable et à tous que sa faute est bien une faute, et quel est son degré de gravité. Dans les milieux où de tels messages ne circulent pas, les jeunes et même les adultes ne savent pas bien que les vols et les viols sont des transgressions et ils ont une idée floue de leur degré de gravité.

Pour communiquer à tous la gravité du crime qu'il juge, le seul langage dont dispose le magistrat, c'est une peine à la mesure de la gravité du crime. Elle lui permet de dire l'ampleur des dommages causés et l'injustice subie par la victime. Ces leçons, le délinquant confirmé ne les a pas reçues, ou trop peu souvent. Il n'a pas acquis de notion claire de crime et de gravité, parce que ni ses parents, ni ses camarades, ni son juge n'ont pu ou voulu réagir fortement devant l'inacceptable. Ayant à son actif trop de vols non sanctionnés, ceux-ci ne lui semblent plus que des peccadilles.

Il n'est pas trop difficile pour l'individu qui baigne dans la connivence et qui, quoi qu'il fasse, n'est presque jamais puni, de se faire accroire que la faute dont il se rend coupable n'en est pas une. Mais cette croyance exerce-t-elle une influence sur sa conduite ?

L'INFLUENCE DES NOTIONS DE CRIME ET DE GRAVITÉ SUR LE RESPECT DE LA LOI

Les écoliers de Montréal ont-ils le sentiment de mal agir lorsqu'ils prennent le bien d'autrui ? Les questionnaires qu'on leur faisait remplir incluaient la question suivante : « Que penses-tu des jeunes de ton âge qui prennent quelque chose à 10 dollars qui ne leur appartient pas ? » Les réponses proposées allaient de « Je trouve cela tout à fait correct » à « Je trouve cela pas correct du tout. » (Fréchette et Le Blanc 1987 : 261 ; Le Blanc 2003) D'autres chercheurs ont demandé si tel ou tel délit est « très grave, modérément grave ou pas grave », « très mal, assez mal ou pas mal du tout ». Le résultat est constant : plus un jeune répond que les délits évoqués sont « corrects », « pas graves », « pas trop mal », plus il a tendance à commettre des délits nombreux et graves (Grasmick et Bursik 1990 ; Elliott 1994 ; Thornberry et coll. 1994 ; Roché 2001 : 185). La causalité va sans doute dans les deux sens : je vole parce que je pense que ce n'est pas grave et je pense que ce n'est pas grave parce que je vole. Les notions de faute et de gravité influent sur le comportement. Cela est sans doute prévisible mais, mis en rapport avec ce que nous avons vu plus haut, il permet d'opérer la jonction : impunité — « notion de délit » — délinquance. Si l'accumulation des délits impunis s'accompagne d'une érosion de la notion de faute et si une notion floue de faute prédit la fréquence des délits, alors il est vrai que l'impunité affaiblit les prohibitions. « Un acte qui n'est pas sanctionné n'est pas grave et un acte sans gravité peut être commis. » (Roché : 190)

Se pourrait-il que l'accumulation des vols auxquels les adultes n'ont pas apporté de réponse pave la voie au crime grave ? Que trop de délits non sanctionnés sapent les digues qui retiennent de mal agir et qu'une fois ces digues rompues, peuvent y passer autant les broutilles que les violences ? Il n'y a pas de différence de nature — seulement de degré — entre les catégories d'infractions. Toutes causent des préjudices injustes à autrui sans égard pour son consentement. Entre le vol et le meurtre, il y a sans doute d'énormes différences de gravité, mais ils appartiennent à la même espèce. Quand s'installe dans l'esprit de quelqu'un l'idée que le vol n'est pas répréhensible, il pourrait bien étendre la même idée à tous les actes appartenant à la même famille et puis s'octroyer la licence de glisser du moins grave au plus grave.

CHAPITRE 6

La dissuasion et les coûts-bénéfices de la délinquance

L'HYPOTHÈSE DE BASE DE LA DISSUASION tient dans une proposition. *Les sanctions produisent leur effet intimidant quand elles conduisent un individu à renoncer à son projet criminel en le forçant à conclure que ses risques dépassent son espérance de gain.* Cet énoncé appelle trois précisions.

Premièrement, la peine judiciaire n'est qu'une des sanctions auxquelles s'expose le transgresseur. Il y en a bien d'autres. Ses méfaits risquent de lui attirer les foudres de ses victimes et de leurs amis ; il pourrait perdre son emploi ; sentir le mépris dans le regard de ses proches. Les chercheurs constatent que de telles sanctions dites « informelles » exercent plus d'influence sur les individus tentés de commettre un délit que les peines distribuées par les magistrats (Tittle 1980 ; Paternoster et coll. 1983).

Deuxièmement, il s'impose de mettre, sur un des plateaux de la balance, les sanctions anticipées et, sur l'autre, les gains espérés. Le vol rapporte des profits substantiels à une minorité de voleurs. Logiquement, plus l'un d'eux escompte réaliser des gains importants, plus les sanctions devront lui paraître sévères et probables pour faire contrepoids.

Troisièmement, en principe, l'effet intimidant de la peine anticipée ne dépend pas seulement de sa probabilité, mais aussi de sa sévérité. Il est vrai que, depuis Beccaria — et plusieurs recherches tendent à lui donner raison — on s'accorde à soutenir que la sévérité produit peu d'effets sur la criminalité. Cependant Killias (2001) a bien montré que tout est affaire de dosage autour d'un certain seuil. « L'effet dissuasif d'une peine n'augmente pas de manière linéaire avec sa sévérité ou sa certitude » (441). Une sanction bénigne au point d'être insignifiante ne suffira pas à intimider. À l'autre extrême, une peine de 50 ans de prison ne sera probablement pas plus intimidante qu'une incarcération de 20 ans. C'est quand la sévérité et la certitude de la peine varient autour d'un seuil critique que nous avons des chances d'observer des variations correspondantes de la criminalité. C'est ce que constate Blais (2005) quand il examine les rapports entre la probabilité d'être arrêté pour conduite avec facultés affaiblies et les taux d'accidents mortels par 10 000 conducteurs dans 99 juridictions du Québec en 1992 et en 2001. La probabilité de l'arrestation est, de loin, le facteur qui contribue le plus fortement à faire baisser les taux d'accidents mortels. Mais, quand cette probabilité atteint un certain seuil, l'effet intimidant de la peine plafonne : la fréquence des accidents mortels cesse de diminuer.

La criminologie actuelle s'achemine donc vers une théorie élargie de la dissuasion, une théorie qui tient compte de la probabilité et de l'ampleur de l'ensemble des coûts et des bénéfices escomptés par l'individu tenté de commettre un crime.

Un phénomène maintes fois observé donne du poids à l'hypothèse de la dissuasion : *la criminalité décroît très sensiblement quand la probabilité des sanctions croît fortement et elle croît à toute vitesse quand les sanctions sont en chute libre.* La première partie de cette proposition a été établie par l'évaluation des opérations policières coup-de-poing et la deuxième par l'observation des conséquences des grèves de policiers sur la criminalité.

Quand une opération coup-de-poing parvient à faire grimper brusquement la probabilité de la peine, elle fait chuter la délinquance ciblée. En 1990, Sherman publiait un bilan des évaluations de 18 rafles (*crackdowns*). Ces opérations faisaient temporairement baisser la criminalité visée dans 15 raids sur 18. Les marchés de drogue étaient moins affectés que les autres par ces rafles (cependant, voir La Penna et coll., 2003). La conclusion de la méta-analyse menée par Blais et Dupont (2004) portant sur 20 évaluations de campagnes contre la délinquance routière est plus positive encore : toutes font baisser significativement les accidents liés à l'alcool ou à la vitesse. Blais et Dupont distinguent trois catégories d'interventions. 1. Les tests aléatoires du taux d'alcoolémie (*random breath testing*, sept programmes) produisent une baisse moyenne des pourcentages d'accidents liés à l'alcool de 27 %. 2. Les sept projets de « barrage de sobriété » (les policiers testent le taux d'alcoolémie des chauffeurs suspects) s'accompagnent d'une diminution moyenne des accidents associés à l'alcool de 23 %. 3. Les six évaluations d'installation de caméras munies d'un radar pour mesurer les excès de vitesse se soldent eux aussi par une chute moyenne de 23 % des accidents liés à la vitesse.

Quand, au lieu d'augmenter, la probabilité de la peine chute brusquement, le chercheur constate le résultat prédit par la théorie de la dissuasion : recrudescence de la criminalité. C'est ainsi que, à Copenhague en 1944, le nombre des vols qualifiés est multiplié par dix quand les forces d'occupation allemandes empêchent les policiers danois de faire leur travail en procédant à leur arrestation

(Andenaes 1974 : 17). De la même façon, la criminalité augmente chaque fois que la police se met en grève (Sherman et Eck 2002 : 303).

Les délinquants ne paraissent donc pas insensibles aux sanctions. Ils se tiennent tranquilles quand ils voient que leurs risques grimpent et passent à l'action quand ils savent avoir d'excellentes chances de s'en tirer à bon compte. Notons que les opérations coup-de-poing et les grèves de police font varier les probabilités des peines fortement et brusquement. Nous savons par ailleurs que des fluctuations de faible amplitude ne font pas bouger la criminalité. Cela se comprend : de telles variations, soit passeront inaperçues des intéressés, soit ne suffiront pas pour faire passer au rouge leurs calculs coûts-bénéfices.

Que s'est-il passé dans l'esprit des délinquants quand la criminalité a varié en raison inverse de la probabilité des sanctions ? Pour l'observateur extérieur, la dissuasion réussie se réduit à un non-événement. Un individu est tenté de commettre un crime ; il imagine la peine ; ne bouge pas et n'est pas puni. Son projet a été tué dans l'œuf sans que rien de visible se soit produit. Un moyen d'appréhender l'influence de la peine perçue sur la décision qui préside au délit est d'interroger les intéressés. D'un côté, on demande aux répondants d'estimer leurs risques d'être sanctionnés, d'un autre, on les interroge sur les délits qu'ils ont commis. Ainsi est-il possible de calculer les corrélations entre les perceptions des risques de sanctions et la fréquence des délits. Ce procédé a permis de mettre au jour le chaînon manquant entre les peines objectives et la criminalité.

Ces travaux nous fournissent des éléments de réponse à deux questions :

1. Qui sont les individus les plus touchés par les sanctions ? Les délinquants les plus enracinés

dans le crime ou ceux qui n'y touchent qu'occasionnellement et du bout des doigts ?

2. Comment les sanctions agissent-elles ? En influant sur le calcul coûts-bénéfices des intéressés ou en leur faisant prendre conscience qu'ils agissent mal ?

L'ANTICIPATION DE LA SANCTION A-T-ELLE PRISE SUR LES INDIVIDUS PRÉDISPOSÉS À LA DÉLINQUANCE?

La théorie de la dissuasion a buté pendant longtemps sur la possibilité que plus un individu était porté au crime, moins il était intimidable. Cette hypothèse ne peut être écartée sans examen. En effet, les individus ayant une forte prédisposition à la délinquance ont, plus que d'autres, tendance à faire prévaloir le moment présent sur l'avenir. Si tel est le cas, ils seront peu ou pas dissuadés par la menace d'une peine éloignée dans le temps. Autrement dit, les sanctions confineraient à l'inutilité, car elles seraient inopérantes sur les individus qu'il importe avant tout de dissuader.

Cette hypothèse est contredite par une autre, tout aussi vraisemblable. Les gens dotés d'une grande rigueur morale n'ont pas besoin que soit brandie au-dessus de leur tête la menace de la peine pour marcher droit. En revanche, les citoyens à la morale élastique profitent de la béquille de l'intimidation dans leurs moments de faiblesse. En d'autres termes, plus on est porté à la délinquance, plus la peine est nécessaire et plus elle court des chances d'être efficace. C'est donc dire qu'à une extrémité du spectre, se trouveraient les rigoristes pour qui le respect de la loi n'a rien à voir avec la peur du gendarme ; à l'autre bout, camperaient les individus peu scrupuleux dont la morale vacillante aurait besoin d'être épaulée par la menace de la peine.

Wright et ses collaborateurs (2004) ont soumis ces deux hypothèses à l'épreuve des faits. Ils ont analysé très finement les données longitudinales recueillies à Dunedin, en Nouvelle-Zélande, sur une génération de 1 002 sujets nés en 1972. La supériorité de cette recherche sur la quasi-totalité de celles qui portent sur le même thème est double. Premièrement, l'échantillon est véritablement représentatif d'une population avec ses bons et moins bons éléments alors que, dans la plupart des autres études du genre, l'échantillon était formé d'étudiants d'université : trop de bons conformistes. Deuxièmement, comme les données sont recueillies à divers âges (entre 5 ans et 26 ans), il est possible de statuer sur la question de l'antériorité causale.

Puisque le but des chercheurs est de savoir si les sujets portés à la délinquance sont sensibles à la menace pénale, ils retiennent deux variables indépendantes : la prédisposition à la délinquance et la perception du risque de subir une sanction. Le penchant à la délinquance est mesuré à 15 et 18 ans par quatre indicateurs : impulsivité, inattention, prise de risque et tendance à réagir physiquement en cas de conflit. Mis ensemble, ces indicateurs mesurent le bien connu « faible contrôle de soi ».

L'anticipation du risque d'arrestation est mesurée, à 18 et 21 ans, par une série de questions formulées en ces termes : « Si tu volais une auto dix fois au cours de dix jours différents, combien de fois penses-tu que tu te ferais prendre ? » La question est répétée en évoquant sept types d'infractions. Ensuite on appréhende la perception des sanctions sociales par une série de questions posées à 21 et 26 ans : « Si tes bons amis apprenaient que tu as commis tel délit (on présentait au sujet 8 délits, allant du vol à l'étalage aux voies de fait), est-ce que tu perdrais leur estime ? » Les mêmes délits sont soumis aux répondants puis on leur demande : « Perdrais-tu le respect et l'estime de tes parents si tu te laissais aller à faire ceci ? » Enfin : « Est-ce que cela compromettrait tes chances d'obtenir un bon emploi si les gens apprenaient que tu as commis ces délits ? »

Pour mesurer la délinquance autodéclarée à 26 ans, on soumet aux sujets une liste de 48 infractions et on leur demande si, au cours de l'année précédente, ils avaient commis l'un ou l'autre de ces délits.

Voici les résultats obtenus par Wright et ses collègues. Chez les répondants à très faible contrôle de soi, de fortes probabilités perçues d'arrestation et de sanctions sociales informelles sont suivies, à 26 ans, d'une fréquence des délits significativement plus basse que chez les sujets anticipant une faible probabilité d'arrestation. Au fur et à mesure que les niveaux de contrôle de soi s'élèvent dans l'échantillon, la relation entre leurs risques perçus et la fréquence subséquente des délits s'affaiblit. Et chez les sujets dotés du degré de contrôle de soi le plus élevé, la relation entre la perception des sanctions à 18 et 21 ans et la délinquance autorapportée à 26 ans cesse d'être significative. Conclusion : l'hypothèse selon laquelle les individus les plus portés au crime seraient imperméables à la menace d'une sanction est réfutée ; tout au contraire, l'effet dissuasif de la perception des sanctions est à son sommet chez les jeunes gens les moins capables de se contrôler et, à ce titre, les plus prédisposés à mal agir. Cet effet intimidant s'amenuise régulièrement au fur et à mesure que le niveau de contrôle de soi des sujets monte. Plus on est doté d'un bon contrôle de soi, plus l'effet intimidant des sanctions s'affaiblit. Les garnements portés à violer la loi se tiennent tranquilles quand ils ont peur du gendarme, cependant que les bons garçons se conduisent bien même quand le gendarme a le dos tourné.

À l'issue de cette confrontation avec les faits, l'hypothèse voulant que les individus portés à la délinquance prêtent flanc à la dissuasion est confortée. Et l'hypothèse rivale selon laquelle l'impulsivité rendrait insensible aux risques d'une peine à venir est rejetée. En réalité, d'un côté nous trouvons les impulsifs qui, malgré tout, sont sensibles aux risques perçus et, de l'autre, les conformistes guidés par leurs convictions.

Wright et ses collaborateurs concluent par une note optimiste : les politiques pénales gardent leurs chances d'être efficaces justement parce que leur impact est plus fort sur ceux qui pourraient se rendre coupables du plus grand nombre de délits et crimes.

COMMENT LES DÉLINQUANTS RÉAGISSENT-ILS À DES SANCTIONS ANÉMIQUES?

Les réponses que la recherche contemporaine apporte à cette question portent sur deux points :

- les conséquences de l'impunité
- la place des gains criminels

1. L'expérience de l'impunité les conduit à réviser à la baisse leurs estimations des risques.

Stafford et Warr (1993) distinguent trois expériences pouvant être vécues par un transgresseur éventuel. Premièrement, celle de l'impunité : il viole la loi et il n'est pas puni. Deuxièmement, celle de la punition : il commet un délit et il se fait taper sur les doigts. Troisièmement, celle de la dissuasion : il envisage de commettre un délit et la crainte de la peine le retient de passer à l'acte (ni délit ni peine). Logiquement l'expérience la plus criminogène est celle de l'impunité : le délinquant triomphe et ses amis voudront l'imiter. Or, nous avons vu, au chapitre précédent, que dans plus de 90 % des cas, les voleurs échappent à toute punition. Pour saisir toute la portée de ce fait, il faut la mettre en rapport avec un autre. Les recherches au cours desquelles les mêmes répondants sont interrogés deux fois à un an d'intervalle font découvrir que la délinquance au cours d'une année est suivie, l'année suivante, d'un niveau relativement faible de perception des risques pénaux (Paternoster et coll. 1982 et 1983). Sachant que, dans l'immense majorité des cas, les vols restent impunis, il s'ensuit que plus un garçon commet de délits, plus il fait l'expérience de l'impunité et plus s'ancre, dans son esprit, l'idée qu'il ne risque presque rien. Il ne peut faire autrement que de réviser à la baisse l'estimation de la probabilité de la peine à laquelle il s'expose.

2. Ils mettent leurs gains criminels dans la balance.

Pour que le vol impuni soit vécu comme un succès, encore faut-il que le jeu en vaille la chandelle. Le chapardage d'objets dont le voleur ne sait que faire est triste ; sans doute restera-t-il sans lendemain. Or, les malfaiteurs ne sont pas tous les perdants que trop de gens se plaisent à imaginer. La plupart des travaux américains et canadiens sur les revenus des délinquants actifs établissent que des proportions non négligeables d'entre eux dégagent des bénéfices substantiels de leurs activités illicites. Les recherches menées sous la direction de Tremblay et de Morselli (2000) l'établissent mieux que d'autres. Un de leurs étudiants, Robitaille (2001 et 2004) a réanalysé les résultats d'un sondage mené en 1976 dans les prisons de Californie, du Michigan et du Texas sur 1 260 prisonniers qui avaient déclaré des gains criminels. Il a établi que la médiane de ces gains illégaux se chiffrait à 29 796 dollars par année (revenus convertis en dollars américains de 2002). L'amplitude des variations des revenus d'un prisonnier à l'autre est considérable. Dans les pénitenciers du Québec, les membres de l'équipe de Tremblay ont interrogé 262 prisonniers sur les gains qu'ils auraient réalisés grâce à leurs vols, fraudes et trafics. Parmi ces hommes, 183 ont déclaré des gains criminels dont la valeur médiane était de 52 000 dollars par année (Charest 2004 et 2005). Nous aimons bien croire que le crime ne paie pas. C'est loin d'être toujours vrai.

La réussite dans le crime découle d'une rencontre entre des délinquants capables et des situations qu'ils parviennent à exploiter à leur profit. Au cœur des facteurs individuels de réussite, nous trouvons la planification et la préparation des opérations : repérer les lieux ; se renseigner sur les alarmes, les horaires des victimes ; prévoir les modalités de la fuite ; se procurer les outils, armes, véhicules et autres équipements ; contacter d'avance un receleur... (Robitaille 2004). L'audace, la rapidité et l'absence d'hésitation, qui se situent sur le versant positif du faible contrôle de soi, sont aussi des atouts en matière de délinquance prédatrice (Morselli et Tremblay 2004 a et b).

La réussite ne tient pas seulement aux individus, mais aussi aux situations qu'ils rencontrent et aux milieux dans lesquels ils évoluent. Selon les situations et les milieux, les délinquants entreront, ou non, en contact avec des cibles intéressantes, vulnérables, d'accès facile ou encore avec des victimes cossues, imprudentes, insouciantes et mal protégées. Il leur arrivera aussi de découvrir des carences dans les dispositifs de sécurité de certains établissements ou de constater un relâchement de la répression dans certains quartiers. Killias (2001) parle à ce propos de brèches.

Il arrivera que des délinquants astucieux découvrent un ensemble de cibles ou de victimes intéressantes et qu'ils mettent au point une « combine » permettant d'en tirer un bon profit au moindre risque. L'automobile en fournit un exemple. Voici un objet de grande valeur, abondant, accessible. Ce véhicule promet des gains conséquents aux voleurs qui découvriraient les moyens d'ouvrir les portières, de désarmer les systèmes d'alarme et d'antivol et de revendre le véhicule ou ses pièces. Le fait que ces problèmes ne soient pas insurmontables aide à comprendre la prolifération contemporaine des vols de voitures.

La rencontre entre des délinquants qualifiés et une faiblesse dans un système de protection contre le crime peut faire naître ce que Sutherland et Cressey (1966) appelaient un système de comportement criminel, notion redécouverte par Tremblay (2004) et qu'il a appelée système de délinquance. Ce dernier entend par là un ensemble coordonné de pratiques et d'interactions grâce auxquelles des malfaiteurs exploitent les occasions offertes par une brèche dans les protections contre le crime ou créent une telle brèche. C'est dans ces niches que prospèrent et la délinquance et les délinquants.

La fonction première d'un système de délinquance est d'assurer l'impunité de ceux qui le maîtrisent : ceux-ci ayant trouvé le moyen de tromper les victimes, de neutraliser les dispositifs de protection ou de déjouer la police. L'impunité ne résulte donc pas seulement des carences du contrôle social, mais aussi de l'ingéniosité des délinquants.

L'hypothèse découlant de ce qui précède est qu'une forme particulière de transgression croîtra en fréquence et en gravité quand des délinquants auront réussi à mettre au point un tel système de délinquance. Ces individus entreprendront de perpétrer une succession de délits et ils continueront tant et aussi longtemps que la brèche qu'ils auront découverte ou ouverte n'aura pas été refermée (Killias 2001).

Les activités délictueuses rapportent donc des revenus substantiels à leurs auteurs. Le simple bon sens pousse à croire que de tels gains poussent leurs heureux bénéficiaires à poursuivre en si bonne voie. En l'occurrence, le sens commun ne se trompe pas. En effet,

Robitaille (2001 et 2004) a pu calculer que la récidive varie en raison directe des gains criminels. Une fois libérés, les prisonniers américains qui avaient gagné davantage d'argent que les autres récidivent en plus grand nombre : les taux de récidive des meilleurs gagneurs est de 55 % contre 37 % chez ceux dont les gains sont médiocres. Ces gains les encouragent à poursuivre ; d'abord parce que chacun est porté à refaire ce qui lui rapporte bien et, ensuite, parce que les gains criminels financent une vie festive coûteuse au point de devenir un puits sans fond.

Aux gains monétaires viennent se greffer les gratifications intangibles que procure le crime : l'excitation, le malin plaisir de faire peur, la domination, la gloriole, la satisfaction du désir de vengeance (Cusson 1981).

Les délinquants dont les revenus sont les plus élevés ne peuvent faire autrement que de comparer ce qu'ils gagnent en argent et en plaisirs avec ce que cela leur en coûte. Or, nous l'avons vu au chapitre précédent, le volet des sanctions ne pèse pas lourd. Les voleurs ne se font pas souvent arrêter et s'ils ont la prudence d'éviter toute violence, ils ne s'exposent pas à des peines trop sévères. Les attraits de la délinquance leur paraîtront irrésistibles tant que ceux-ci ne seront pas contrebalancés par la perspective de sanctions suffisamment fortes et probables. Les malfaiteurs qui aboutissent à la conclusion que, au total, ils gagnent plus qu'ils ne perdent, ne verront pas pourquoi ils prendraient le chemin de la réhabilitation.

Conclusion : sanctions, fréquence des vols et rareté des grands crimes

Le temps est venu de dresser le bilan des deux chapitres précédents et de celui-ci.

Les sanctions souffrent de faiblesses incurables. Tout d'abord, elles frappent après — quelquefois, longtemps après — que le contrevenant a pris son plaisir. Comme les êtres humains préfèrent le tout de suite au plus tard, les bénéfices des délits influencent plus fortement les choix que les inconvénients des sanctions, toutes choses égales par ailleurs. Autre point faible, la plupart du temps, les sanctions sont improbables, soit que les délinquants aient l'habileté d'y échapper, soit que les acteurs sociaux chargés de sanctionner manquent de vigilance, de moyens ou de détermination. Enfin, les malfaiteurs qui réalisent des gains criminels conséquents ne feront pas grand cas de sanctions douces et incertaines : celles-ci auront peu de chances de les détourner de la voie d'agissements qui leur rapportent gros. Malgré tout, la puissance des sanctions est loin d'être nulle si nous les additionnons toutes (les sanctions pénales, informelles et situationnelles) et si nous tenons compte à la fois de leur influence sur le jugement moral et de leur effet intimidant.

La théorie des sanctions que j'ai défendue stipule que la décision de commettre ou non un délit sera influencée, d'abord, par les idées de l'acteur sur le caractère fautif de l'acte et, ensuite, par la comparaison qu'il fera entre l'ensemble de ses gains et l'ensemble de ses coûts.

Il est établi que de fortes variations dans la probabilité objective des peines influencent la criminalité. Cette dernière baisse quand la probabilité de la peine augmente brusquement, par exemple lors du déclenchement d'une opération coup-de-poing. Inversement, le nombre des délits et crimes augmente quand la probabilité de la peine est en chute libre, par exemple, pendant une grève de police.

En cas de vol, les probabilités de l'arrestation sont très faibles et celles de l'incarcération, encore plus. Un garçon peut donc voler impunément pendant des années avant de se retrouver en prison.

Les voleurs qui jouissent d'une telle impunité révisent à la baisse les estimations de leurs risques. Comme ils escomptent qu'ils ne seront pas punis, ils sont conduits à commettre des vols relativement nombreux. Inversement, les individus qui s'attendent à des probabilités de sanction relativement forte commettent peu d'infractions. L'effet de ces anticipations est plus marqué chez les sujets prédisposés à la délinquance à cause de leur faible contrôle de soi que chez les individus peu portés au crime. Il n'est donc pas vrai que la menace de la peine n'agit pas sur les vrais malfaiteurs.

Les délinquants actifs sont nombreux à réaliser des revenus considérables par leurs agissements illégaux. Plus ces gains sont élevés, plus ils sont portés à récidiver.

De manière plus générale, ces constats mis ensemble confirment que le choix de commettre un délit est encouragé par un contexte conduisant l'acteur à calculer qu'il peut escompter des gains intéressants au prix de sanctions légères et incertaines.

Cette théorie des sanctions peut être utile pour rendre compte de la fréquence des délits contre les biens et de la rareté des violences criminelles graves.

La fréquence des vols et des fraudes — Un délinquant actif assez avisé pour s'en tenir à des infractions non violentes fait régulièrement l'expérience de l'impunité. Il en tire une conclusion imparable : je ne risque pas grand-chose si je m'empare du bien d'autrui sans recourir à la force. Par la même occasion, il fait une découverte réconfortante : ses vols et ses fraudes lui font réaliser des gains appréciables. Logiquement, plus il y gagne, plus il voudra remettre ça. Et pour se donner bonne conscience, il se racontera que voler c'est piquer : broutilles. Or, les faits ne le démentiront pas car, à la faveur de la complaisance régnant dans son entourage, on ne lui tapera pas souvent sur les doigts. Un tel individu a donc de bonnes raisons de voler chaque fois que l'occasion s'en présente : il y trouve son profit, il est rarement puni et personne ne le contredit quand il prétend que ses fautes sont si peu graves qu'elles n'en sont pas vraiment. Le déséquilibre est trop grand entre, d'une part, des gains criminels conséquents et, d'autre part, des sanctions épisodiques et légères.

La rareté des grands crimes — Dans l'introduction de cet ouvrage, j'ai rapporté la découverte d'Elliott (1994) sur la rareté des crimes graves. Ce chercheur avait sélectionné dans son échantillon les délinquants ayant commis plusieurs actes violents et graves. Il avait ensuite calculé que ces crimes graves ne représentaient que 4 % du total des infractions dont ces criminels se reconnaissaient les auteurs. Pourquoi, de manière générale, les délinquants actifs commettent-ils beaucoup moins de crimes sérieux que d'infractions faiblement ou modérément graves ? Parce que les risques auxquels ils s'exposent en perpétrant un crime grave n'ont rien à voir avec ceux qu'ils courent en cas de délit médiocre. La probabilité et la sévérité des peines sont beaucoup plus élevées en cas de grand crime que de petit délit, pour la raison évidente que le premier suscite une plus forte mobilisation et une plus forte indignation que le second. Si un petit malfaiteur est tenté de braquer une banque, de violer sa voisine ou de tuer son pire ennemi, il se dira sans doute que les braqueurs, les violeurs et les meurtriers n'ont pas de bonnes chances d'échapper à la prison. « *Le braquage, ça m'a jamais trop dit. Je préfère les petits coups. Je sais les risques... Braquage, ça peut mener loin. Recel, c'est limite quand même... Tu calcules les risques pareil. Sur les échafaudages, il y a des garde-fous, eh ben nous, c'est pareil, on en a aussi.* » (Chantraine 2004 : 116) Il arrive, malgré tout, à un petit malfaiteur de déraper et de commettre un crime vraiment grave. La raison en est que ses vols et ses fréquentations douteuses le placent occasionnellement dans des situations à risque : une victime résiste au point de devenir dangereuse, un complice menace de le dénoncer à la police. Il se pourrait qu'il tue la victime ou le complice. Mais il le fera à son corps défendant et acculé au pied du mur. Voilà pourquoi il n'arrive pas souvent aux délinquants, même invétérés, de violer ou de tuer. Néanmoins, ils le font beaucoup plus souvent que les honnêtes gens. Parce que ces derniers résistent mieux à leur envie de viol et parce qu'ils évitent avec soin de se placer dans des situations telles qu'ils seraient acculés à tuer.

Troisième partie

Le milieu criminel accélérateur de la violence

CHAPITRE 7

Guerre au sein du Milieu

LE MILIEU CRIMINEL paraît voué à la violence : quiconque en fait partie peut être conduit par la force des choses à donner des coups et il s'expose à en recevoir. Les faits qui appuient cette affirmation ne manquent pas.

Une première observation : à Rochester, aux États-Unis, les membres de gang, qui représentent 31 % de l'échantillon, se rendent responsables de 82 % des crimes violents graves (Thornberry et coll. 2003 : 49). Dans une ville américaine où les gangs sévissent, leurs membres sont les premiers responsables de la violence criminelle de l'endroit.

Autre observation : la simple fréquentation de délinquants est associée à la violence. Parmi les recrues de l'armée suisse, les 341 agresseurs les plus violents de l'échantillon sont, en proportion, 10 fois plus nombreux que les autres recrues à compter 7 amis délinquants ou plus (Haas 2001 : 257 ; voir aussi Thornberry et coll. 2003 : 160).

Au Québec, la majorité des homicides sont perpétrés par des individus associés de près ou de loin au milieu criminel et la plupart des victimes de ces crimes appartiennent eux aussi au Milieu. Cela se déduit de trois observations.

Premièrement, 60 % des meurtriers avaient des antécédents criminels (Cusson et coll. 2003).

Deuxièmement, dans près de 80 % des homicides, la victime était proche du meurtrier : connaissance, relation d'affaires, ami ou membre de sa famille (Cusson et Proulx 1999 : 26).

Troisièmement, il est connu que les délinquants, en grande majorité, fréquentent d'autres délinquants. Si la majorité des meurtriers sont au départ des délinquants et qu'ils tuent en majorité des personnes qu'ils fréquentent, leurs victimes ont de bonnes chances d'être des délinquants comme eux.

Les délinquants et les individus qui ont des amis délinquants sont souvent eux-mêmes les premières victimes de la violence du Milieu. En Angleterre, la probabilité de victimisation violente des délinquants violents est sept fois plus forte que celle des sujets n'ayant pas de violence à leur actif (Gottfredson 1984). Lauritsen et ses collaborateurs (1991) constatent qu'un indice combinant le nombre des délits autorapportés et le nombre d'amis délinquants est le meilleur prédicteur de la victimisation. Autre fait allant dans le même sens : les délinquants qui ont été victimisés ont tendance à commettre des crimes plus graves que ceux qui ne l'ont pas été (Gagnon 2004 : 89).

Bref, quand un individu est impliqué d'une quelconque manière dans le Milieu, il est porté à commettre des crimes violents à l'encontre de victimes associées au milieu criminel et à subir, lui aussi, le même traitement. La pègre ne se contente donc pas de diriger sa violence contre l'étranger : elle s'inflige elle-même sa propre médecine.

Cela conduit à distinguer, d'un côté, les agressions dirigées vers l'extérieur du Milieu : braquer les banques, violer, tuer un témoin à charge, etc., et, de l'autre, la violence interne : bagarres entre truands à propos d'une femme, coups et blessures infligés à un revendeur qui empiète sur le territoire de son concurrent, règlements de comptes entre malfaiteurs.

Avant de poursuivre, il est nécessaire de s'expliquer sur le terme de « Milieu » et son synonyme la « pègre ». Justement parce qu'ils sont vagues, ces termes paraissent commodes pour évoquer la diversité des liens qui unissent les délinquants et les criminels. Ils nous permettent d'englober :

1. les rapports d'amitié des délinquants entre eux ;
2. les rapports de complicité (de codélinquance) ;
3. les réseaux délinquants constitués de l'ensemble des liens directs et indirects entre les délinquants vivant sur un territoire ;
4. les bandes ou gangs, c'est-à-dire les groupes identifiés de délinquants ;
5. les mafias, c'est-à-dire les organisations criminelles (Voir Cusson 1998 et 2005).

La violence qui sévit parmi les hors-la-loi est une clef indispensable pour accéder à la compréhension des crimes graves commis par les délinquants actifs. Pour en rendre compte, deux thèses ont été mises de l'avant. La première soutient qu'elle résulte d'une tendance d'individus, au départ portés à la violence, à être attirés par leurs semblables. La seconde thèse fait découler cette violence des conditions qui prévalent au sein même du milieu criminel. Dans la première partie du chapitre, je présenterai les faits nouveaux permettant de départager les mérites relatifs de ces deux thèses. La question à laquelle répondra la deuxième partie du chapitre est la suivante : pour quelles raisons les individus immergés dans le Milieu s'en prennent-ils à leurs semblables ?

Sélection et facilitation

Les criminologues sont depuis longtemps tombés d'accord sur le fait que les individus fréquentant les délinquants sont eux-mêmes portés à passer à l'acte et, notamment, à commettre des crimes violents. Mais là s'arrêtait le consensus. En effet, quand venait le moment de spécifier la direction causale, ils campaient sur deux positions. Les uns soutenaient que les délinquants incitent leurs camarades à mal agir. Sutherland a attaché son nom à cette thèse. Selon lui, on devient criminel parce qu'on a été surexposé à des modèles criminels. Les autres affirmaient que les sujets portés au crime recherchent la compagnie des délinquants. Leur violence ne découlerait donc pas de l'influence criminogène des bandes, mais bien du fait que celles-ci réuniraient des individus enclins à la violence. Dans le jargon des spécialistes, il y a, d'un côté, la thèse de la « facilitation », c'est-à-dire de l'influence de mauvaises fréquentations et, de l'autre, la « sélection » c'est-à-dire la tendance des individus prédisposés à la délinquance à se choisir des amis qui leur ressemblent.

Deux recherches longitudinales récentes permettront de départager les mérites relatifs de ces deux thèses.

Depuis 1984, Richard Tremblay et ses collaborateurs mesurent les comportements agressifs et l'appartenance à une bande dans un échantillon de garçons des milieux ouvriers de Montréal. Entre 11 et 17 ans, 715 sujets sont rencontrés onze fois. D'une part, les enquêteurs leur demandent : durant les derniers douze mois, étiez-vous membre d'un groupe ou gang de jeunes qui commettent des délits ? D'autre part, ils les interrogent sur leurs comportements agressifs : menacer, attaquer quelqu'un qui ne leur a rien fait, porter ou utiliser une arme. Lacourse et coll. (2003) traitent ces données avec une méthode semi-paramétrique fondée sur le regroupement qui leur permet de distinguer trois trajectoires d'appartenance ou non à une bande. Premièrement, une majorité (74 %) de garçons n'ont jamais été membres d'une bande et ne sont pratiquement jamais agressifs. Deuxièmement, 13 % des sujets commencent à s'associer à une bande à partir de 13 ans. Ces garçons sont passablement agressifs. Dans un troisième groupe, regroupant lui aussi 13 % des sujets de l'échantillon, l'appartenance à une bande est marquée dès 11 ans. C'est dans ce groupe que les conduites agressives sont les plus fréquentes.

Dès que Lacourse et ses collaborateurs dessinent les courbes de fréquence des comportements agressifs entre 11 et 17 ans dans ces trois groupes, le parallélisme avec les courbes de l'appartenance à une bande saute aux yeux. Quand les taux de fréquentation d'une bande augmentent, l'agression augmente ; quand les taux diminuent, elle diminue. À l'intérieur de chacune de ces trajectoires, une comparaison entre les garçons qui, à un âge donné, fréquentent un gang, et ceux qui n'en fréquentent pas montre que ces derniers sont deux fois moins agressifs que les premiers. Enfin, la fréquence des actes violents commis par un garçon augmente quand il entre dans une bande et elle diminue quand il la quitte. Il est clair que l'effet de facilitation est très fort : on est violent quand on est en gang ; on cesse de l'être quand on en sort.

Enfin, Lacourse et ses collaborateurs constatent que les enfants fortement agressifs dès 11 ans sont portés à faire partie d'une bande au cours des années suivantes. Ce fait peut être interprété en termes de sélection : les enfants agressifs au départ sont attirés par leurs semblables.

Avec des méthodes statistiques différentes, Thornberry et ses collaborateurs (2003) obtiennent des résultats concordants. Des garçons et des filles de 13 à 22 ans résidant dans les quartiers les plus criminalisés de Rochester sont relancés douze fois. L'échantillon final compte 846 sujets (75 % de garçons). Quand l'intégration à un gang et la délinquance violente autodéclarée sont mesurées à 14, 15, 16 et 17 ans, voici ce que nous apprenons :

- Les membres de gang commettent nettement plus de délits violents que les non-membres.
- Les garçons appartenant à un gang à un moment donné, puis le quittant, commettent beaucoup plus de crimes violents pendant qu'après leur appartenance à un gang.
- Les membres d'un gang commettent encore plus de crimes violents que les non-membres qui ont par ailleurs plusieurs amis délinquants. Le gang n'est donc pas seulement le lieu de rencontre entre délinquants : il incite plus puissamment à la violence que la simple fréquentation de pairs délinquants.
- Quand Thornberry tient constants les meilleurs prédicteurs de la délinquance (délinquance antérieure, supervision familiale déficiente, difficultés scolaires, pairs délinquants), l'appartenance à un gang s'accompagne d'un surcroît de délinquance violente. Cela signifie que, toutes choses égales par ailleurs, le gang exerce une influence criminogène spécifique.
- L'activité délictueuse à un âge donné prédit l'appartenance à un gang au cours de l'année suivante. Les jeunes gens déjà portés à la délinquance ont donc tendance à se laisser séduire par le gang.

Ces deux enquêtes nous apprennent que l'entrée dans une bande donne un vigoureux coup d'accélérateur à l'activité criminelle violente. Inversement, quand un garçon se désengage de la bande à laquelle il appartenait, il cesse partiellement ou totalement de se conduire agressivement. Cependant, la causalité joue aussi dans l'autre sens. Ce sont surtout les garçons au départ prédisposés à la délinquance qui acceptent de faire partie d'une bande. Les deux processus, la facilitation et la sélection, font sentir leur effet mais avec une prédominance du premier. (Deux autres confirmations méritent d'être citées : 1. Gordon et coll., en 2004, montrent que lorsque les garçons font partie d'un gang, ils commettent plus de délits violents que quand ils en sortent ; 2. Pour sa part, Gagnon, en 2004, établit que l'appartenance à un gang prédit la gravité de l'activité criminelle.)

Il est donc démontré que les individus virtuellement agressifs ont besoin du contexte de la bande pour actualiser leur violence. De plus, nous avons vu, dans l'introduction de ce chapitre, que cette violence est souvent dirigée vers l'intérieur : les membres de la pègre n'hésitent pas à s'en prendre à leurs congénères.

« Une guerre de chacun contre chacun »

L'état de nature

Que se passe-t-il dans la bande ou dans la pègre pour que ses membres soient ainsi poussés à l'agression ? Pourquoi les truands ont-ils tant de peine à vivre en paix entre eux ? Nous trouvons dans le *Léviathan* de Hobbes (1651), une réponse prémonitoire à ces questions. Dans l'état de nature, il n'existe ni souverain, ni loi, ni justice, ni sécurité, « ni distinction du tien et du mien » (p. 228). Dans ces conditions, aucun moyen n'est exclu pour s'enrichir ou pour dominer. Si l'un possède un bien convoité par un autre, ce dernier pourra le déposséder et le tuer impunément. Il le fera s'il est le plus fort parce qu'il n'a rien d'autre à craindre que la résistance de sa victime. « Et à son tour, l'attaquant sera confronté aux mêmes dangers de la part de l'autre. » (p. 222) Dans ces conditions, celui qui tiendrait ses promesses alors que personne d'autre ne le ferait deviendrait une proie facile. Cette « guerre de chacun contre chacun » (p. 224) ne cesse qu'avec l'intervention d'une « puissance coercitive quelconque qui force également les humains à exécuter leurs conventions, par la terreur de quelques châtiments plus grands que le bénéfice qu'ils pourraient espérer en ne respectant pas leurs conventions. » (Hobbes : 249)

Au sein du Milieu, l'inévitable loi du silence empêche cette « puissance coercitive » de remplir son office. Ce même silence qui protège les délinquants de la police les rend vulnérables aux dangers venus de l'intérieur. En effet, ce que les truands ne trouvent pas dans la pègre, et que les citoyens ordinaires trouvent dans l'État, ce sont des protections et des recours judiciaires. Le criminel est très mal placé pour porter ses litiges devant les tribunaux civils ou pénaux. Il pourra quelquefois trouver un ami ou un chef de gang disposé à arbitrer son différend. Mais il est rarement assuré de profiter des services d'un pacificateur juste, équitable et jouissant d'une réelle autorité.

Qui plus est, dans la pègre les règles sont moins nombreuses et moins respectées qu'ailleurs. Les hiérarchies sont moins claires et plus contestées. Ni convention collective, ni statuts, ni manuel de procédure ne définissent les droits, les obligations, les lignes d'autorité et les préséances. Rien à voir avec les règles et les hiérarchies omniprésentes dans les bureaucraties et les entreprises. Or, Gould (2003 : 17 et 86) a montré que les conflits insolubles et les homicides vindicatifs sont plus nombreux quand les acteurs sociaux entretiennent des rapports symétriques et ambigus que dans les cas contraires. La fluidité des relations et l'imprévisibilité de l'autre qui caractérisent les relations entre truands créent des impasses dont ils seront tentés de se sortir par la violence.

Un bandit a donc de bonnes raisons de craindre et de soupçonner ses congénères. « *Ils ne respectent que la force, ils ne marchent qu'à la peur ou à l'argent, et ils sont prêts à renier, dépouiller, voler le moindre d'entre eux dès qu'il ne leur fait plus peur. Je le sais, j'en ai fait partie.* » (Provençal 1983 : 18) Le truand n'est pas sans savoir que les amis sûrs sont rares, que les traîtres ne manquent pas, que les ennemis sont à l'affût. Et ses comparses pensent comme lui. Comme chacun redoute l'arnaque de l'autre, aucun ne se sent lié par la parole donnée. Une seule chose retient les uns et les autres : la crainte des représailles. Celui des deux qui parie que son partenaire n'osera se venger commettra la trahison ou le vol.

D'un côté, les truands sont exempts de scrupules et capables d'user de violence, de l'autre, ils sont exclus de la protection de la loi, de la police, de la justice. Cette situation les conduit à user de la force pour :

- laver leur honneur ;
- attaquer ;
- se défendre contre les agressions et les prévenir ;
- venger et punir ;
- faire la guerre.

Laver son honneur

> « *Ça commence toujours pareil, un des grands de la bande qui regarde un mec de travers, un des durs de la bande qui provoque un des durs de l'autre bande. Fixer quelqu'un dans les yeux et le regarder de travers, ça ne se fait pas. L'autre n'aime pas être fixé, alors un premier coup est lancé, un coup de poing, un coup de boule, et tout le monde y va. Toi aussi tu y vas, tu*

> *fais partie de la bande et il y a beaucoup de gens autour de toi qui te regardent, beaucoup de gens qui sont venus voir des gars se battre, qui sont venus pour ça.* »
>
> (Kherfi et Le Goaziou 2000 : 18-19)

Lepoutre (1997) décrit finement comment le souci de préserver sa réputation menacée par une offense force des garçons de la Courneuve, en banlieue de Paris, à livrer maintes batailles. Personne ne veut passer pour un lâche. C'est dans l'affrontement avec un adversaire d'égale force que le courage se prouve et s'illustre. Une réputation de bagarreur est d'ailleurs fort prisée, y compris par les filles (p. 272-273). Tout peut être interprété comme un défi et tout est prétexte à bagarres : insultes, menaces, vol, dette non payée, flirt avec une amie, une sœur... Les pires offenses sont des bousculades, coups, gifles (p. 294). S'impose alors l'épreuve de force, sous peine d'être jugé par tous comme un « bouffon ». L'affrontement s'apparente au duel. Deux garçons se font face devant un public ; ils se frappent, s'empoignent, roulent par terre jusqu'à ce que l'un prenne le dessus (p. 196).

Il arrive que des bagarres entre truands éméchés finissent mal. Mesrine (1977) fréquentaient régulièrement un bar tenu par « la mère Lulu », une grosse femme qu'il aimait bien :

> « *Un soir, des types de passage enragés par l'alcool s'avisèrent de l'insulter. Il s'ensuivit une terrible bagarre, des coups de couteaux furent donnés. Paul se retrouva avec un bras cassé par le choc d'un tabouret et moi avec un coup de lame dans l'avant-bras. À l'arrivée de la police, nous étions loin. Mais un des types était resté sur le carreau, vivant, mais salement ouvert sur le bas-ventre.* » (p. 100)

Les milieux criminels contemporains ont réinventé cette solution qui émerge partout où les hommes ne peuvent se reposer que sur leurs propres forces pour fixer les hiérarchies et assurer leur sécurité : le point d'honneur.

Pour se prémunir contre les humiliations et les attaques, chacun gagne de haute lutte une réputation de force, de courage et même de férocité. Nul n'osera rabaisser un homme connu pour ne pas avoir froid aux yeux et pour riposter férocement à la moindre provocation. Le faible ou le peureux qui se laisse offenser ou *racketter* se désigne lui-même comme une proie facile. Il envoie le message — et pas seulement à son agresseur — qu'on peut l'humilier et le dépouiller impunément. Il devient alors le souffre-douleur de tous les petits durs qu'il aura le malheur de croiser. Il sera en butte aux humiliations et à l'exploitation. « *Si le monde te respecte pas, ça t'attire des problèmes.* » (Bouvier 2001 : 94) La susceptibilité devant la moindre offense a pour fonction de prévenir de futures attaques. Par de vives ripostes, l'offensé acquiert ou préserve une réputation de dur à cuire qui lui sert de bouclier. Il devient redoutable et les éventuels agresseurs passeront leur chemin plutôt que de s'exposer à un combat à l'issue incertaine. Mais si, malgré tout, l'homme d'honneur est défié ou offensé, il lui faudra livrer la marchandise. Et cela donne les bagarres livrées en public.

Attaquer

Aucun milieu criminel n'échappe à la violence prédatrice de ses propres membres. Il s'en trouve toujours quelques-uns qui ont des pressants besoins d'argent et qui n'ont guère de scrupules à s'attaquer à un représentant de leur propre confrérie. Quand un bandit découvre que tel confrère détient une forte somme d'argent et se trouve en position de faiblesse, la tentation est forte de l'arnaquer ou de l'agresser.

Dans la ville de Saint-Louis, la proie de prédilection de certains braqueurs, c'est le *dealer*. Ce dernier a les poches bourrées d'argent et de drogue ; il porte des bijoux en or ; il s'expose en pleine rue la nuit et, bien sûr, ne se plaint jamais à la police. Avantage supplémentaire, il hésite à porter un pistolet car les *dealers* s'exposent à une lourde sentence de prison s'ils sont arrêtés et que la police découvre qu'ils portent une arme. La plupart des agresseurs sont toxicomanes et connaissent les habitudes de leurs victimes. Ils sont fauchés en permanence et ne souffrent aucun délai quand ils ont besoin d'argent. Le braqueur se rapproche subrepticement de sa victime à la faveur de l'obscurité, ou encore en faisant semblant d'être un acheteur. Brusquement, il brandit un pistolet de gros calibre en hurlant des menaces de mort. Il oblige sa victime à tout donner et, quelquefois, à se déshabiller, puis il fuit (Jacobs 2000).

Il arrive qu'une bande qui se sent plus forte qu'une autre attaque cette dernière pour envahir son territoire et s'emparer de sa part du marché de la drogue. De telles invasions sont des moyens expéditifs de « tuer » la compétition : on supprime le compétiteur et on prend le contrôle de sa clientèle. Il n'est pas rare que le monde des trafiquants de drogue soit ensanglanté par de telles luttes (Cordeau 1990 : 54).

Se défendre et prévenir

> *« Les coups, tu les portes avec tes mains, avec tes pieds ou tes poings. Avec des couteaux aussi parfois. Au début, on n'en avait pas, puis on en a eu, comme les autres, parce qu'il arrive un moment où, même si tu ne veux plus te battre, tu dois pouvoir te défendre. »* (Kherfi et Le Goaziou 2000 : 19)

La peur d'être tué peut conduire au meurtre. On se bat à mort pour repousser une attaque. Et personne ne voudra se trouver désarmé face à un ennemi armé. Parmi les 341 agresseurs les plus violents identifiés dans l'échantillon de 20 000 recrues de l'armée suisse, 90 %

possédaient une arme et 83 % l'avaient utilisée (Haas 2001 : 241). Les garçons de Rochester qui appartenaient à un gang portaient une arme à feu dix fois plus souvent que les non-membres. Pour leur protection, disaient-ils. Et ces porteurs d'armes commettaient plus de crimes violents que les membres de gang qui n'en portaient pas (Thornberry et coll. 2003 : 185-189).

Deux bandes vivant à proximité ne savent pas bien cohabiter pacifiquement. La défense du territoire fournit la raison de maintes guerres de gang. Les membres de l'autre bande qui osent pénétrer en territoire ennemi s'exposent à être sévèrement battus. Il est particulièrement dangereux de s'aventurer dans la zone frontière qui sépare les territoires revendiqués par des bandes en guerre (Vigil 1998 : 130-1 ; Henni et Marinet 2002 : 78-79).

Certains règlements de comptes ont une fonction préventive. Je tue le tueur lancé à mes trousses. Ce fut le cas du premier meurtre commis par Mesrine (1977 : 63-73). Il s'était disputé avec Ahmed, un proxénète, à propos de Sarah, une prostituée qui était devenue la maîtresse de Mesrine. Au cours d'une violente empoignade, Mesrine assomma Ahmed d'un coup de pied en pleine figure. Dès lors, Ahmed « *était dans l'obligation de réagir s'il ne voulait pas perdre la face* ». (64) Mesrinc apprit par ses informateurs que son ennemi était à sa recherche et avait juré d'avoir sa peau. Il se résolut à prendre les devants. Avec quelques amis, il enleva Ahmed, le conduisit en voiture à la campagne, puis le tua froidement à coups de couteau.

Venger et punir

Parce qu'ils sont moins que d'autres à l'abri des délateurs, fraudeur, voleurs, mauvais coucheurs et agresseurs, les truands peuvent difficilement se permettre de pardonner. Une telle faiblesse là où règne la loi du plus fort reviendrait à inviter de nouvelles victimisations. Il leur faut se venger, punir.

Parmi les 213 règlements de comptes perpétrés au Québec et dont le motif était connu, Cordeau (1990) en trouve un quart qui avait pour but de châtier un délateur. Un bandit impliqué dans un meurtre, un vol à main armée ou une transaction de drogue se fait arrêter. Les policiers lui offrent une accusation réduite en échange de la dénonciation de ses complices. Peu après, il est éliminé. Ses comparses l'ont tué, soit parce qu'il avait déjà parlé, soit parce qu'il était sur le point, pensaient-ils, de les dénoncer (p. 111-114).

Au cours de l'année 1985, les Hell's Angels du Québec sont de plus en plus nombreux à juger intolérables les agissements des membres de leur chapitre Nord. Ceux-ci étaient devenus incontrôlables. Leur consommation de cocaïne était excessive. Ils étaient violents, imprévisibles, capables de tuer impulsivement. Ils avaient volé la somme de 98 000 dollars au chapitre des Hell's Angels de Halifax. La sécurité de tous était en jeu. En mars 1985, les membres du chapitre des Hell's de Lennoxville invitent leurs collègues du chapitre Nord à leur local. C'est alors que cinq membres du chapitre Nord sont exécutés. Peu de temps après, deux autres sont supprimés. Les cadavres sont jetés dans le fleuve Saint-Laurent où la police les retrouve en juin 1985 (Lavigne 1987).

Dans le Milieu, il est à la fois tentant et dangereux de ne pas payer ses dettes.

> Début 1973, à Lyon, Jean Auger, acteur dominant du Milieu lyonnais, sollicite et obtient d'Edmond Vidal un prêt important (380 000 euros d'aujourd'hui), soi-disant pour financer un achat de drogues. Il s'engage à rembourser dans les huit jours. Cependant, en réalité, l'emprunteur n'avait pas l'intention de payer sa dette. Deux mois passent.

> Edmond et ses amis vont réclamer leur dû. Auger prétend qu'il n'a pas eu les rentrées d'argent escomptées et demande un nouveau délai. Bientôt Edmond apprend que Jean Auger vient de racheter un bar. Il comprend qu'il a été berné. Pire, Auger serait à la recherche de tueurs pour l'éliminer, ce qui solderait sa dette. Le 15 juin 1973, en sortant du parking où il a laissé sa voiture, Auger est atteint par des coups de feu. Il tente de se cacher, mais un homme cagoulé sort d'un véhicule, s'approche et vide le chargeur de son pistolet sur l'homme. Cette mort déclencha une série de règlements de comptes dans le Milieu lyonnais : 30 morts.
>
> (Nivon 2003 : 57-59)

Guerres de gangs et vengeances en chaîne

Au Québec, entre 1994 et 2001 une guerre opposant les Hell's Angels et les Rock Machine fit 261 victimes : 126 meurtres et 135 tentatives de meurtre. Morselli et ses collaborateurs (2004) mènent une recherche sur la guerre qui a mis aux prises ces deux gangs de motards. Leurs analyses des séries chronologiques établissent l'étroite correspondance entre la série de règlements de comptes perpétrés d'un côté et de l'autre. Les attaques menées par les Rock Machine sont suivies par des ripostes venant des Hell's Angels auxquelles répondent des représailles exercées par les Rock Machine. Le *pattern* montre que chaque gang répond aux règlements de comptes dont ses membres sont les victimes. Dès les premiers meurtres, les Hell's Angels se sont sentis solidaires de leurs amis assassinés et ont décidé de les venger. Il en fut de même du côté des Rock Machine. De part et d'autre, on jugeait nécessaire d'exercer des représailles. L'escalade devint inévitable : chaque camp vengeait les meurtres qui le frappaient à un rythme de plus en plus rapide. Au cours de cette guerre, plusieurs trafiquants de drogue du Québec qui, en temps normal, s'affichaient comme indépendants ont été obligés de choisir leur camp. C'est ainsi que se créa l'Alliance : des petits groupes de trafiquants s'affilièrent aux Rock Machine. D'autres firent allégeance aux Hell's. Comme le notent Morselli et ses collègues, la guerre force la polarisation : au bout d'un certain temps, il ne reste plus que deux camps opposés. Mais alors, les tiers suffisamment neutres pour jouer le rôle de pacificateurs, sont introuvables, ce qui rend la paix fort improbable.

CHAPITRE 8

Les stratégies défensives

Les victimes de viol et de vol à main armée paient cher pour savoir que la violence des délinquants suractifs n'est pas seulement dirigée vers le milieu criminel. Elle est aussi projetée vers l'extérieur, frappant de simples citoyens et, quelquefois, des représentants des forces de l'ordre. Ces agressions présentent une face offensive et une face défensive. D'un côté, le braqueur pointe soudainement une arme sous le nez de la caissière et l'oblige à lui remettre le contenu de la caisse : l'attaque. D'un autre, pendant sa fuite, il tire en direction du policier qui l'a pris en chasse : la défense.

Tous les truands doivent composer avec le fait qu'ils sont entourés d'ennemis. Leurs victimes ne leur veulent aucun bien. Les policiers voudraient les voir en prison. De nombreux citoyens les dénonceront sans état d'âme s'ils en ont l'occasion. C'est pourquoi tout groupe criminel est conduit par la force des choses à organiser sa défense contre les menaces émanant des citoyens et des forces de l'ordre.

Le plus souvent, la sûreté sera obtenue par des moyens non violents. Pour éviter la confrontation avec leurs victimes, les cambrioleurs choisissent des résidences inoccupées et ils y entrent discrètement par la porte arrière. Les braqueurs portent un masque et fuient en vitesse dans une voiture volée. Les voleurs d'auto évitent d'opérer dans des stationnements protégés par des dispositifs de télésurveillance et ils prennent soin de neutraliser les systèmes d'alarme installés dans les véhicules. Il pourra s'avérer cependant inévitable à quelques truands d'user de violence pour assurer leur sécurité et leur impunité. C'est ainsi qu'ils seront conduits à intimider, blesser et, quelquefois, tuer des victimes, des témoins et même des policiers. Le présent chapitre porte sur ces actions violentes visant la défense des opérations criminelles contre l'extérieur. Nous pouvons parler à ce propos de stratégies et tactiques défensives.

Les stratégies et tactiques défensives sont les mesures par lesquelles les délinquants assurent leur sûreté et leur impunité contre les dangers provenant de leurs victimes, des citoyens et des forces de l'ordre.

Au cœur de toute mafia, se trouve un système de protection destiné à assurer la sécurité de ses opérations et celle de ses membres. Qui plus est, c'est pour se protéger et se défendre que maints criminels sont acculés à perpétrer des crimes beaucoup plus graves qu'ils ne l'auraient voulu, par exemple supprimer un témoin.

Quatre catégories de stratégies défensives apparaissent particulièrement importantes parce qu'elles structurent le milieu criminel et débouchent quelquefois sur le meurtre : les mesures visant à faire prévaloir la loi du silence, les violences dirigées contre les forces de l'ordre, la sanctuarisation de repaires de criminels et l'organisation de la bande en groupe d'autodéfense.

LES FAIRE TAIRE !

La première assurance du criminel contre les représailles et le châtiment consiste à n'être pas découvert. On ne lui cherchera noise si personne ne peut le relier à son crime. C'est ce qui conduit le voleur à exercer son art en l'absence de la victime, pendant son sommeil ou quand elle regarde ailleurs. C'est déjà plus compliqué pour le violeur, surtout quand sa victime le connaît. Pour échapper aux poursuites, il menace de lui faire un mauvais parti si elle parle. Plus rarement, il la supprime. Mais comment faire taire tous les témoins qui en savent trop ? Les organisations criminelles connaissent la réponse : c'est la loi du silence. L'*omerta*, c'est la règle stipulant qu'il est infâme d'informer la police. Quand elle est en vigueur, les victimes croient se déshonorer en portant plainte et les témoins s'imaginent trahir en témoignant. Plus profondément, l'*omerta*, c'est une manière de couper la police et la justice de la population.

C'est avec un art consommé que la mafia sicilienne est parvenue à s'entourer d'un mur de silence. Pour y parvenir, elle ne s'est pas contentée de l'intimidation, expédient rudimentaire qui peut se retourner contre son utilisateur. Elle a préféré acheter le silence par des cadeaux et des services. Et, ruse remarquable, le premier service qu'elle a offert, c'est sa protection. C'est ainsi que la mafia jouait, en Sicile, le rôle d'une agence occulte de sécurité privée. Elle protégeait des bars, des restaurants, des entreprises, des contrebandiers, des trafiquants de drogue... Il n'est pas toujours facile de distinguer l'extorsion de la protection. Il n'en reste pas moins que les *mafiosi* rendent souvent la marchandise : le bar est réellement protégé et cesse d'être le théâtre de bagarres, le trafiquant n'est plus inquiété ni par la police ni par ses concurrents (Gambetta 1992). Les clients paient évidemment pour cette sécurité, mais pas seulement en argent, ils paient aussi, et surtout, en silence. Ainsi s'instaure un échange : le mafieux protège son client et, en retour, celui-ci le protège en restant bouche cousue ; la protection est mutuelle. C'est de cette manière qu'une famille de la mafia tisse autour d'elle un réseau de connivences formé d'obligés et de protégés. C'est ce qui lui a permis de tenir en échec la police et la justice pendant si longtemps (Cusson 1998).

Loin d'être une exclusivité sicilienne, la loi du silence resurgit partout où le crime fleurit et s'organise. Lepoutre (1997) constate l'existence de « formes juvéniles de l'omerta » dans la banlieue parisienne qu'il a minutieusement observée et décrite. Ses interlocuteurs, de jeunes adolescents, ne sont pas sans savoir qu'il est interdit de rapporter les bagarres, vols et dégradations aux parents, aux professeurs ou aux agents de police. Malheur à la « balance » qui « donne » un camarade ! « Méprisé, honni, insulté, le dénonciateur peut être victime de vengeances sous forme de châtiments corporels très durs. » (p. 179)

Si, dans les banlieues sensibles, des voitures sont volées et incendiées, c'est quelquefois pour imposer la loi du silence. « Chacun sait que celui qui parlerait trop fort ou tenterait d'organiser une réaction risque de retrouver sa voiture endommagée ou brûlée. Ses enfants pourraient subir des représailles, alors on se tait et on s'arrange de la situation. » (Henni et Marinet 2002 : 68 ; voir aussi Bui Trong 2003 : 91 et 93)

Comme le poisson a besoin d'eau, le criminel a besoin de silence pour rester libre. C'est pourquoi il fait taire les gens en Sicile, en Corse, dans les ghettos américains, dans les banlieues françaises... Les organisations criminelles ne sont tranquilles que quand les témoins et les victimes elles-mêmes n'osent ou croient déshonorant de parler à un policier ou à un magistrat.

Dissuader les forces de l'ordre

En principe, c'est la police qui porte la peur dans le camp des malfaiteurs. Dans certaines circonstances, c'est l'inverse. En effet, il arrive qu'une organisation criminelle enivrée par ses succès ose s'en prendre à des policiers ou à des magistrats. On se rappelle qu'en 1992, la mafia italienne commandita l'assassinat des juges Falcone et Borsellino.

Beaucoup moins graves, mais plus fréquentes, sont les menaces plus ou moins voilées à l'encontre de policiers. Gomez Del Prado (2004) a mené une étude sur 159 incidents au cours desquels des motards criminalisés du Québec avaient tenté d'intimider des policiers. Voici comment se déroulait un épisode typique. Un patrouilleur arrête quelques motards subalternes associés aux Hell's Angels ayant commis une contravention. Au cours de l'échange, l'un des motards dit : « *On sait où tu habites et on connaît le nom de ta femme. Ce serait dommage s'il lui arrivait quelque chose.* » Quelquefois, les mêmes individus passent ensuite de manière répétée devant la résidence du patrouilleur. Ces gestes et ces allusions inquiétants ne restent pas sans effet. Certains policiers décident alors de fermer les yeux sur les infractions des Hell's Angels. D'autres demandent d'être affectés dans une ville où ils n'auront pas affaire à des motards criminalisés. Ces manœuvres intimidantes minent la détermination d'un certain nombre de patrouilleurs, les réduisant à la passivité.

Les Hell's Angels du Québec ont poussé beaucoup trop loin cette logique de l'intimidation quand ils ont fait exécuter deux gardiens de prison. Ces forfaits déclenchèrent une mobilisation sans précédent des forces de l'ordre. L'opération « printemps 2001 », vaste coup de filet policier, se solda par une centaine de mises en accusation de motards criminalisés et les désorganisa durablement.

Les tactiques en cours en France sont différentes, mais visent le même résultat. Il suffit que les policiers pénètrent dans certaines cités de banlieue pour qu'ils soient provoqués puis bombardés de cailloux. Quelquefois, ils sont attirés dans un guet-apens. Il arrive que les agents de police soient empêchés fort efficacement de procéder à l'arrestation de suspects, comme on le voit dans cette petite scène de vie de banlieue :

> « *Coursés par une voiture de police, les gosses ont débouché sur la place en criant avant de s'éparpiller dans les immeubles. Deux bleus [policiers en uniforme] s'arrachent du véhicule, mais ils n'ont guère le temps d'avancer : le chemin est barré par deux grands de la cité. Face à face. Les policiers expliquent brièvement que les fuyards sont soupçonnés d'avoir fait leur marché dans la grande surface voisine sans passer par la caisse. Les autres répliquent qu'il s'agit d'un prétexte pour s'en prendre aux gamins, une fois de plus. Le ton monte, tourne à l'empoignade puis aux coups de poing entre un bleu et l'un des jeunes. Le deuxième policier s'interpose et réussit à calmer le jeu, entraînant son collègue vers la voiture.* »
>
> (Henni et Marinet 2002 : 75)

Ce n'est pas fréquent, mais il arrive qu'un truand tue un policier. G. A. Parent (1993) a consacré un livre à l'analyse des caractéristiques de 38 meurtres de policiers perpétrés au Québec entre 1950 et 1989. Ces meurtres se déroulent, pour la plupart, comme suit. Un criminel recherché, en libération conditionnelle ou en probation, est surpris en flagrant délit par un policier. Immédiatement, le suspect abat le policier sans lui laisser le temps de tirer. Ce geste apparaît clairement comme l'action désespérée d'un homme voulant à tout prix échapper à l'arrestation et, surtout, à une interminable incarcération.

Défendre son repaire

Dans un livre intitulé *L'Oppression quotidienne*, Debarbieux (2002) raconte comment une bande de voyous parvint à prendre le contrôle du hall d'entrée d'un immeuble parisien pour s'en faire un repaire. Je résume ici son propos :

> Dès que la nuit tombe, un groupe d'adolescents et de jeunes adultes s'installe dans le hall d'entrée de l'immeuble et s'y comporte comme en terrain conquis. Quand la porte de l'immeuble — fort solide — est verrouillée, les voyous se mettent à plusieurs et, avec force coups de pied de karaté, ils la font céder. Puis on s'installe dans le hall comme dans un salon. On branche un système de son. Quelquefois le ton monte et des bagarres éclatent. Le tapage prive de sommeil les résidents. La fumée du cannabis envahit les lieux. Les résidents de l'immeuble subissent passivement l'occupation. Ils ont appris à leurs dépens qu'il vaut mieux souffrir en silence. Il leur arrive, quand ils traversent le hall d'entrée, de devoir contourner un couple en train de copuler. Et cela se répète nuit après nuit. À l'extérieur de l'immeuble, des guetteurs sont en poste. Quand l'arrivée des policiers est annoncée, la porte d'entrée donnant sur le hall est verrouillée de nouveau. Les agents de police ne peuvent pénétrer. Terrés dans leur appartement, les résidents n'osent ouvrir aux agents de peur de représailles. Ni les résidents de l'immeuble ni les policiers ne parviennent à déloger les voyous. (p. 35-112)

Le repaire est un lieu qui sert d'abri et de point de rencontre à un groupe de malfaiteurs. C'est un refuge contre l'intrusion de la police, les attaques de leurs rivaux et les interventions de simples citoyens.

Le mouvement naturel de toute bande de truands, c'est d'aménager un refuge et de le sanctuariser.

Leur coup réalisé, les brigands d'autrefois se réfugiaient dans une forêt impénétrable. À Paris, jusqu'au XVIIe siècle, la cour des Miracles servait de sanctuaire aux fripons qui écumaient la ville. Ils y étaient protégés par la terreur que ce lieu inspirait aux forces de l'ordre et aux honnêtes gens (St-Germain 1962 : 93). De nos jours, ce sont des microterritoires qui servent de repaire aux délinquants : cave, cage d'escalier, squat, hall d'entrée, terrain à l'abandon, bar, appartement…

Les repaires servent de point de ralliement aux mauvais garçons du quartier. Comme l'a montré Felson (2003), ces endroits dans lesquels ils traînent nuit après nuit assurent la continuité et la stabilité des réseaux criminels. Les amis ont beau rompre et les gangs se dissoudre, tant que leur repaire tient, le réseau tient. C'est dans la tranquillité de tels refuges que les truands s'échangent des tuyaux, complotent et planifient leurs coups. Sans un repaire, une bande perdrait sa cohésion et tendrait à se dissoudre.

Mais d'abord il faut conquérir le lieu, subjuguer ses premiers occupants puis en contrôler l'accès. Une bande de malfaiteurs parvient à défendre son repaire en dissuadant les voisins d'intervenir ou d'appeler la police par des menaces, la destruction de leur voiture, des cambriolages ; cela peut aller jusqu'à des incendies (Fluet 1999 : 130 ; Henni et Marinet 2002 : 68). Cette mainmise n'est pas possible dans un quartier habité par des gens organisés, efficaces et bien branchés. Car, exaspérés par le voisinage de voyous tapageurs, ils se mobiliseraient et feraient appel aux politiciens locaux pour que la police les déloge. C'est plutôt dans les voisinages sans cohésion, dont les résidents sont incapables d'action collective, qu'aura lieu la prise de contrôle (Sampson et coll. 1997). C'est la raison pour laquelle les repaires criminels sont situés dans les quartiers pauvres.

La fonction défensive des gangs

> « *La bande était mon environnement et mon milieu. Elle était notre identité et notre sécurité, si tu en sortais tu te retrouvais seul, isolé, et tu vivais dans la peur.* »
>
> (Kherfi et le Goaziou 2000 : 48)

Les adolescents ne joignent pas un gang uniquement pour y faire les quatre cents coups, mais aussi pour s'y réfugier quand ils sont en butte à la brutalité d'autres garçons. Ils y cherchent la sécurité du nombre. Les gangs sont des groupes d'autodéfense, ayant pour fonction d'assurer la sécurité de leurs membres, quelquefois de leurs alliés. Nombre de fins connaisseurs des gangs ont insisté sur cette fonction défensive de la bande (Suttles 1968; Jankowski 1991 : 183-186, 202-205; Sanders 1994; Thornberry et coll. 2003 : 93; Warr 2002). Chez les jeunes Afro-antillais de Montréal, le gang est un « espace de protection », un refuge dans lequel on se sent à l'abri de la menace que font peser les autres bandes (Perreault et Bibeau 2003 : 97). « *Il fallait défendre notre peau* », disait un membre d'un gang à ces deux anthropologues. Une fois que la bande se sent assez forte, ses membres, moyennant rémunération, organisent la protection des commerces de leur quartier, des prostituées et des trafiquants de drogue.

Conclusion

Évoluant en milieu hostile, les malfaiteurs assurent leur sécurité en faisant prévaloir la loi du silence, en opposant un front commun aux forces de l'ordre et en sanctuarisant leur repaire. Ils ne sauraient y parvenir sans une dissuasion tous azimuts : en terrorisant les victimes, les témoins, les informateurs, les voisins et les policiers. Or, pour intimider tous ces gens, la force du nombre est indispensable. Ainsi se forment les bandes, les gangs, les mafias. Ces regroupements de criminels n'existent pas seulement pour l'attaque; ils sont plus nécessaires encore pour la défense. Le crime organisé commence par l'organisation de sa protection.

Des menaces cessent d'être crédibles si elles ne sont jamais mises à exécution. Les truands se voient donc contraints de passer aux actes. Cela se traduit par une kyrielle de crimes :

- incendies de voitures ou de maisons appartenant à des gens qui ont porté plainte ;
- raclées, jambes cassées, sévices infligés aux témoins qui ont parlé, aux informateurs, aux membres des bandes ennemies ;
- intimidation dirigée contre les policiers, jets de cocktails Molotov ;
- élimination de victimes qui en savaient trop ;
- assassinat de témoins et de délateurs ;
- meurtre de policier.

Parmi les raisons pour lesquelles les truands sont acculés à commettre des crimes graves et très graves, la nécessité devant laquelle ils se trouvent d'assurer leur propre protection et celle de leurs opérations n'est pas la moindre.

Quatrième partie

Les trajectoires

Chapitre 9

Genèse

L'expression « trajectoire criminelle » sert à désigner la séquence des délits se succédant dans le temps dont un individu se rend coupable. Chez un délinquant persistant, la trajectoire a un commencement, dure quelques années, puis prend fin. La délinquance a une histoire et, logiquement, le passé y pèse sur le présent. C'est de cette influence dont il sera maintenant question.

Le lecteur aura remarqué que je le convie à un retour en arrière. En effet, c'est aux raisons contemporaines de l'acte criminel qu'étaient consacrés les chapitres précédents. J'y mettais en scène un délinquant sans histoire : ses choix tenant compte de sa situation ici et maintenant, de son mode de vie et du milieu dans lequel il baigne au moment des faits. Mais cela ne suffit pas : il reste à envisager la question dans sa profondeur temporelle et d'investiguer le poids du passé, à commencer par celui de l'enfance.

Dans ce chapitre, nous partons à la recherche de l'origine de la délinquance persistante. Pour sa part, le chapitre 10 s'attachera à rendre compte de la continuation et de l'abandon de la carrière criminelle : pour quelles raisons un individu persiste-t-il à commettre des délits et crimes durant des années malgré toutes les sanctions qui s'abattent sur lui ? Et pourquoi décide-t-il un jour de ne plus violer la loi ?

Que savons-nous sur l'origine de la violence?

Les recherches longitudinales qui se sont multipliées au cours des dernières années nous fournissent une abondante moisson de faits sur la genèse de la violence. Certains nous réservent des surprises.

L'homme naît-il naturellement bon ?

Quand Richard Tremblay et ses collègues ont voulu dater avec précision l'apparition de la violence chez l'enfant, ils ont fait une découverte dont la portée est considérable (Tremblay 2003 ; Tremblay et coll. 1996 ; 1999 ; 2002). Réunissant des échantillons imposants et représentatifs de la population générale, ces chercheurs ont mesuré la fréquence des agressions physiques des enfants à divers âges, en commençant le plus tôt possible. Ils posaient à la mère (ou à la personne connaissant le mieux l'enfant) les questions suivantes : Est-ce que votre enfant se bat souvent ? Attaque-t-il physiquement les autres ? Menace-t-il ? Donne-t-il des coups de pied à d'autres enfants ? Les mord-il ? Les frappe-t-il ? La compilation des réponses met à jour un résultat étonnant : ces violences enfantines se manifestent dès que l'enfant en est capable et elles atteignent un sommet au début de la troisième année (entre 27 et 29 mois). À peine un enfant est-il assez solide sur ses jambes, il arrache le jouet des mains d'un autre dès que l'occasion se présente. Et si ce dernier contre-attaque, il rendra les coups. Entre un an et trois ans et demi, le simple fait d'avoir un frère ou une sœur s'accompagne de niveaux relativement élevés d'agression physique (Tremblay et coll. 2002 et 2004). Vers deux ans, il est arrivé à la plupart des enfants de frapper, de bousculer, de se battre. Ensuite — et ce fait est lui aussi décisif —, la fréquence de ces comportements agressifs diminue ; cette décroissance commence vers trois ans et se poursuit tout au long de l'enfance.

Si l'agression enfantine est à ce point répandue, elle ne peut pas être jugée pathologique. Et elle apparaît tellement tôt qu'on ne voit pas comment elle pourrait être apprise. Elle semble d'ailleurs normale à l'adulte : les menues agressions des enfants ne l'alarment pas. Comme le note Michel Born (2003 : 136), ce qui ne paraîtrait pas naturel, ce serait la non-violence totale car elle conduirait à la soumission totale. L'apparition extrêmement précoce de ces conduites chez la majorité des enfants autorise à penser que l'agression fait partie du répertoire de tout être humain normal.

La violence enfantine n'inquiète pas la plupart des parents. Car le petit enfant est si faible et si maladroit qu'il ne peut vraiment faire mal. Néanmoins, les adultes vigilants ne laissent pas passer : ils séparent les petits combattants, réprimandent. Peu à peu, l'enfant apprend à retenir son premier mouvement, à attendre son tour pour avoir le jouet. C'est pourquoi, dès trois ans, la fréquence des agressions physiques entame un mouvement de déclin progressif.

Devant cette apparition très précoce de la violence et son preste recul sous la pression des adultes, force est de conclure que la violence apparaît spontanément et que la non-violence est apprise. Ce fut l'erreur de Jean-Jacques Rousseau et de son innombrable descendance intellectuelle de penser que l'homme naît bon et que la société le rend mauvais, ce qui revient à dire que l'enfant non violent par naissance apprendrait à agresser son prochain. Les faits disent exactement le contraire : l'agression surgit sans apprentissage et la société, incarnée par les parents, rend l'enfant meilleur en lui montrant comment inhiber sa violence originelle.

Cependant, l'agression tombe en veilleuse, sans être éradiquée du répertoire des conduites humaines. L'enfant devenu adulte conserve la capacité de recourir à la force pour se défendre, attaquer, se venger. La violence est réactualisée quand surgit la crise, devant la provocation ou l'agression. Et alors des hommes qui, des années durant, avaient filé doux se découvrent capables de violence.

L'incrustation de l'agression

Qu'elles sont les évolutions typiques de l'agression entre 6 et 12 ans ? En guise de réponse, des chercheurs ont traité les données sur les conduites agressives venant de plusieurs recherches longitudinales en utilisant une méthode semi-paramétrique fondée sur le regroupement (Broidy, Tremblay et coll. 2003). En simplifiant, trois types d'évolution ressortent :

1. Une majorité d'enfants manifestent très peu d'agression entre 6 et 12 ans ; la fréquence de leurs conduites agressives se maintient à un niveau fort bas durant ces années.
2. Dans un autre groupe, les enfants sont passablement agressifs vers six ans, ensuite leur conduite s'améliore avec l'âge : la fréquence des agressions recule.
3. Chez une minorité de 4 % à 10 %, les enfants s'affichent très agressifs à 6 ans, puis le restent jusqu'à 12 ans. C'est au sein de ce groupe que se recrutent les enfants à risque.

En effet, cette persistance des conduites agressives tout au long de l'enfance chez une minorité ne dépassant pas 10 % apparaît comme l'un des meilleurs prédicteurs de la délinquance à l'adolescence (Broidy, Tremblay et coll.

2003). Plus tard, quand les comportements des enfants de 8 ans sont mesurés en faisant remplir des questionnaires aux enseignants et aux camarades de classe, les chercheurs constatent que les conduites agressives en milieu scolaire ont la capacité de prédire la délinquance violente entre 10 et 21 ans (Farrington 1994 ; Nagin et Tremblay 1999 ; Carbonneau 2003 ; Tremblay 2003).

Les criminologues ont longtemps pensé que plus la délinquance apparaît précocement, plus elle risque de persister. Cette croyance s'appuyait sur le fait avéré qu'une première arrestation précoce, vers 12 ou 15 ans, prédit la récidive cependant qu'une première arrestation tardive, par exemple à 30 ans, autorise un pronostic optimiste. En remontant beaucoup plus loin vers le début de la vie, Tremblay et ses collègues font voir une toute autre réalité. La violence se manifeste extrêmement tôt chez la plupart des êtres humains, et cette violence-là ne vaut rien pour prédire la délinquance. Ce qui la prédit, c'est la *violence originelle non résorbée.*

Ces faits donnent à penser qu'il y a un âge pour apprendre la non-violence. Si, entre deux et huit ans, un enfant ne l'a pas apprise, il lui sera ensuite difficile de l'acquérir.

Comment l'enfant apprend-il la non-violence ?

C'est à des carences éducatives qu'il faut attribuer la non-résorption de la violence originelle chez une minorité d'enfants. Sur ce point, les résultats des recherches concordent (Patterson 1982 ; Tremblay et Craig 1995 ; Rutter et coll. 1998 ; Le Blanc 2003 ; Carbonneau 2003). De très nombreuses comparaisons des familles de délinquants avec celles des non-délinquants montrent avec une belle constance que les parents des premiers ne sont pas au courant des faits et gestes de leur rejeton, qu'ils les sanctionnent de manière imprévisible, alternant entre le laisser-aller et les punitions excessives et que les relations parents-enfants sont mauvaises (Glueck et Glueck 1950, Farrington 1997, Le Blanc 2003). Et cela commence tôt. Un prédicteur solide d'une trajectoire d'agression physique entre 17 et 42 mois, c'est le comportement coercitif de la mère quand l'enfant avait 5 mois : elle se mettait en colère quand l'enfant devenait difficile, elle perdait le contrôle, criait et frappait (Tremblay et coll. 2004).

Les évaluations d'interventions développementales en apportent une confirmation expérimentale. Elles soulignent l'importance de la compétence éducative des parents (voir notamment les bilans de Vitaro et Gagnon 2000 et de Cusson 2002). Voyons de plus près une de ces recherches.

Lacourse et coll. (2003) ont mené une analyse fine des résultats de l'expérience réalisée sous la direction de Richard Tremblay au cours de laquelle les pratiques éducatives des parents d'enfants à risque avaient ensuite été améliorées. Grâce à l'information détenue par des enseignantes de la maternelle, 259 garçons de 6 ans avaient été identifiés comme ayant des conduites difficiles et agressives. Les sujets avaient été assignés de manière aléatoire dans un groupe expérimental ou dans un groupe contrôle. Les parents des sujets du groupe expérimental bénéficiaient d'un programme d'aide et de formation visant à améliorer leur compétence parentale. Des psychoéducateurs allaient voir les parents de ces enfants à la maison. Ils leur montraient comment mieux observer et mieux connaître leur enfant. Ensuite, ils leur suggéraient d'énoncer des règles claires et de les sanctionner systématiquement, mais modérément. Ils leur rappelaient la valeur éducative d'encourager et de récompenser le plus souvent possible les bonnes actions de leur fils. Le programme resta en vigueur durant deux ans. Pour l'évaluer, l'agression, le vol et le vandalisme des sujets sont mesurés par questionnaire sur des élèves âgés de 11 à 17 ans, ce qui permet de dessiner les trajectoires de diverses catégories de sujets. Résultat : 17 % des sujets du groupe expérimental ont poursuivi des trajectoires marquées par un niveau élevé d'agression contre 30 % dans le groupe contrôle. Une intervention sur les parents d'enfants à risque qui améliore leur performance éducative modifie durablement les trajectoires de l'agression.

La qualité de la prise en charge parentale dépend en large partie de la situation familiale. Les familles perturbées et en détresse éprouveront de plus grandes difficultés à assumer les responsabilités de l'éducation d'un enfant, surtout s'il est, au départ, difficile. C'est ainsi que, quand une adolescente sans conjoint, sans ressources et isolée accouche d'un enfant, celui-ci présente des risques élevés de délinquance. Enfin, les conflits entre les parents — suivie ou non de divorce — est aussi associée à la délinquance. Ces faits vont ensemble : l'absence du père, les conflits entre les parents et la détresse de la mère placent cette dernière en position de faiblesse face à son enfant et en fait une éducatrice assez peu efficace (Rutter et coll. 1998 ; Farrington 2003 ; Le Blanc 2003 ; Roché 2001 : 50). Cependant, la pauvreté dont souffre une famille soulève des problèmes qui méritent d'être traités séparément.

La pauvreté des parents est-elle une cause de la délinquance des enfants ?

L'une des convictions les mieux enracinées dans l'esprit du public, c'est que la pauvreté des parents est une cause majeure de la délinquance de leurs enfants. Cette croyance n'est pas sans fondement. En effet, les jeunes gens issus de familles défavorisées sont surreprésentés parmi les délinquants arrêtés par la police pour délits violents. Ils sont aussi plus nombreux que les jeunes des classes favorisées à être trouvés coupables par un juge de la jeunesse. Cependant, ces faits ne peuvent être tenus pour la démonstration d'un véritable rapport de causalité. D'autant plus que nous ne trouvons pratiquement pas de corrélations entre le statut social des parents et la délinquance autodéclarée (Wright et coll. 1999).

Quand la pauvreté de la famille est associée à la délinquance ou à l'agression, elle n'est qu'un prédicteur parmi une constellation. Dans une enquête de Tremblay et coll. (2004) portant sur 573 familles québécoises, les prédicteurs d'un niveau élevé d'agression physique entre les 17e et 42e mois sont, dans l'ordre, les suivants :

1. l'enfant a un jeune frère ou une jeune sœur ;
2. durant son adolescence, la mère avait volé, fugué, provoqué des batailles ;
3. la mère était très jeune à la naissance de l'enfant ;
4. la pauvreté ;
5. le comportement coercitif de la mère envers l'enfant ;
6. la mère avait fumé durant sa grossesse ;
7. les conflits et la mauvaise entente empêchaient la famille de bien fonctionner.

Il est aussi fréquent qu'une relation statistique apparente entre le statut social familial et la délinquance tombe à plat quand le chercheur tient constantes les autres variables qu'il a incluses dans son modèle. Cela veut dire que, même quand le lien entre la pauvreté et la délinquance existe, il est indirect, entièrement médiatisé par d'autres variables, et notamment par la négligence de la part des parents, le défaut de supervision et la dépression de la mère (Sampson et Laub 1994 ; Hagan et McCarthy 1997 ; Rutter et coll. 1998 ; Wright et coll. 1999 ; Weatherburn et Lind 2001 ; Thornberry et coll. 2003). Le sens qu'il est possible de donner à ces observations est celui-ci : des parents plongés dans l'adversité (ou une mère seule vivant dans la pauvreté) dépriment et ne parviennent pas à faire face à leurs obligations. Ils sont incapables de consacrer suffisamment de temps, d'attention et d'énergie à l'éducation de leurs enfants. Ceux-ci sont négligés. Ce sont ces carences éducatives qui sont les vrais facteurs de la délinquance et non la pauvreté en tant que telle.

Wright et ses collaborateurs (1999) ont découvert une raison paradoxale pour laquelle on ne trouve pas de rapport direct entre le statut social des parents et la délinquance. C'est que, par certains côtés, la richesse peut être criminogène. Ces chercheurs ont d'abord vérifié que le goût du risque est plus prononcé chez les jeunes issus des classes supérieures que chez ceux qui proviennent des milieux défavorisés. De plus, les fils de riches ont plus d'assurance et plus d'insolence. Or, ces caractéristiques sont positivement associées à la délinquance. Ainsi, voyons-nous une jeunesse dorée portée à violer la loi par goût du risque, par arrogance, par sentiment d'être invulnérable. La conception misérabiliste que nous nous faisons trop souvent du délinquant nous empêche de voir une toute autre réalité : celle du fils à papa qui tourne mal.

Un non-apprentissage de la non-violence

Récapitulons. Ni apprise, ni causée par la pauvreté, la violence émerge spontanément chez l'enfant et recule sous l'influence des parents. Si ceux-ci ne jouent pas leur rôle, il arrive que les conduites agressives s'incrustent puis débouchent sur la délinquance. L'enfant n'a pas besoin d'apprendre à frapper. Ce qu'il doit apprendre, c'est à *ne pas* frapper, à *ne pas* s'emparer du jouet possédé par l'autre. À l'évidence, l'être humain n'a reçu dans son bagage génétique ni le respect de l'autre ni le contrôle de soi. Alors que la violence est déclenchée par une provocation ou activée par une impulsion, la non-violence est le fruit d'un travail éducatif.

Ce que l'enfant doit apprendre pour progresser vers la non-délinquance — et ce que les délinquants n'ont pas vraiment appris —, c'est le respect de l'interdit et la coopération. D'où la question : que s'était-il passé au cours de son enfance pour que le délinquant ne parvienne ni à saisir le sens de la règle ni à coopérer ?

« Lors de mon premier vol, je ne réalisais pas que je volais : c'était un jeu. » (Shaw 1930 : 15) Le jeune enfant qui tend la main et se saisit de l'objet qu'il convoite ne ressentira pas son acte comme un vol s'il n'a d'abord pas compris la distinction entre le mien et le tien et, ensuite, s'il n'a pas appris que prendre « le tien » contre la volonté de son propriétaire est prohibé. Tans que ces notions ne sont pas acquises, il vole en toute innocence. Et si son petit frère s'agrippe à son bien, il le frappe, sans penser à mal, sans honte, sans culpabilité. À l'évidence, il ne ressent pas son acte comme une faute ; il ne fait que prendre.

Comme l'enfant ne sait pas — et ne tient pas à savoir — que ses conduites d'appropriation et ses coups sont des vols et de la violence, cette connaissance doit lui être communiquée. Et elle lui vient moins par des explications que par des leçons de choses : par la réprobation de ses vols ou de ses agressions.

Or, les parents des futurs délinquants ne réagissent pas, ou réagissent complaisamment, aux vols et violences de leur fils. Ils ne le voient pas mal agir ; ils regardent ailleurs. Quand ils sont confrontés à l'évidence, ils sourient, réprimandent du bout des lèvres et laissent profiter le petit voleur des fruits de ses larcins. *« Personne ne s'est donné la peine de me dire : ici est le bien, là est le mal. »*

(Artières 1998 : 41) N'étant pas dite, ou trop mollement, la règle n'entre pas dans le champ de conscience de l'enfant.

Et l'une des raisons pour lesquelles ces parents n'ont pas l'occasion d'énoncer et de rappeler la règle, c'est que les transgressions échappent à leur attention. Ils ne sont pas vigilants, ils n'ont pas les yeux ouverts. C'est sans doute la raison pour laquelle le défaut de surveillance est associé à la délinquance avec une telle constance. Les parents qui ne *voient* pas leurs enfants ne les prennent pas en faute et ne peuvent les blâmer.

L'enfance de la plupart des délinquants endurcis qui ont raconté leur vie est remplie de petits vols commis sans que les parents le sachent, ou, le sachant, sans qu'ils sévissent. La belle-mère de Stanley fermait les yeux sur les multiples vols qu'il commettait. Et elle acceptait les biens volés qu'il lui offrait. Il lui arrivait même de l'encourager à voler (Shaw 1930 : 43-53). Évoquant son enfance, Provençal (1983 : 20-24) raconte : «*Je volais tout ce que je pouvais.*» Sa mère était mal placée pour l'en blâmer : elle-même volait et fraudait, son père aussi. Dubé passe son enfance à commettre des vols aux dépens des livreurs, des commerçants, de l'école... partout où l'occasion se présente. Ses parents ferment les yeux et quand il apporte de la nourriture volée, sa mère la prend sans poser de questions (Girard 2004).

Ainsi, les parents laissent passer les transgressions et quand, exceptionnellement, ils réagissent, ils ne sont pas convaincants. Une erreur commune des parents d'enfants agressifs, note Patterson (1982 : 111 et ss.), est d'ordonner et de menacer sans conviction ni détermination. Les actes ne suivent pas les paroles. Plutôt que de donner un ordre avec la volonté ferme qu'il soit exécuté, la mère bougonne, râle. Elle supplie plutôt que de faire acte d'autorité. Elle n'ose aller jusqu'à la confrontation. L'enfant comprend vite : il n'en fait qu'à sa tête.

Bref, la passivité de l'adulte, son inattention, sa complaisance ou sa faiblesse sont interprétées par le futur délinquant comme des autorisations : la règle n'est pas en vigueur. Il n'apprend pas à prendre les interdictions au sérieux. Le lien entre ce mépris de la norme et la délinquance saute aux yeux. Nous l'avons vu au chapitre 5, les jeunes gens qui ont des notions floues des interdits, qui pensent que voler ou agresser, c'est « correct » ou « pas vraiment mal », sont aussi ceux qui commettent de nombreux vols et agressions.

N'ayant ni assimilé la règle ni appris à se contrôler, l'enfant se fige dans des solutions primitives et brutales. Pour arriver à ses fins, il prend, frappe, intimide. Il ne peut dépasser le stade de la coercition. Or, les êtres humains disposent de deux manières opposées d'obtenir d'autrui ce qu'ils en espèrent : la coercition et la persuasion. Par la coercition, ils forcent l'autre à agir contre son gré. Ils se dispensent de son consentement en lui forçant la main, en le menaçant, en le trompant. Par la persuasion, ils demandent et obtiennent de l'autre ce qu'ils souhaitent en faisant appel à sa solidarité ou en lui offrant une contrepartie. Les parents qui savent faire prévaloir la règle bloquent les solutions coercitives, ce qui oblige l'enfant à emprunter les voies de la persuasion et de la réciprocité.

Conclusion

Loin d'être apprise, la délinquance originelle émerge spontanément. Quand elle perdure, c'est que les adultes ont échoué dans leur mission d'apprentissage de la non-violence et de l'honnêteté. L'enfant qui ne sait ni se discipliner, ni échanger, ni persuader ne saura dépasser le stade des expédients primitifs et brutaux. C'est le cas du futur délinquant. Les années passent et il ne prend pas au sérieux les interdits ; il contrôle mal ses impulsions ; il ne donne pas et n'obtient rien. Et il ne rencontre que peu de résistances de la part de ses parents, de telle sorte que les moyens violents et malhonnêtes dont il use le servent bien.

Le délinquant actif fut un enfant qui n'apprit pas à prendre la règle au sérieux. Ne l'ayant pas appris, il ne parvint pas à vivre en paix avec ses semblables. Il se trouve alors en difficulté dès qu'il sort de la maison pour jouer avec les enfants de son âge. Incapable de contrôler ses impulsions, peu porté au don et à l'échange, il peine à garder ses amis. Les enfants mieux socialisés que lui le craignent et l'évitent. Et il ne lui reste que la fréquentation de garçons aussi mal préparés que lui aux rapports interpersonnels.

CHAPITRE 10

Persister puis abandonner

DANS LES PRISONS FRANÇAISES, 59 % des entrants sont de nouveau sanctionnés par une peine durant les 5 ans suivant la levée d'écrou. D'un groupe de détenus à l'autre, l'ampleur des variations des taux de récidive est considérable. Du côté des ex-prisonniers récidivant le moins, soit les sujets sans condamnation antérieure, âgés de 30 ans ou plus et coupables d'atteintes contre la personne, seulement 10 % retournent en prison. Et, du côté des cas qui récidivent le plus, soit les libérés ayant une condamnation antérieure ou plus, âgés de moins de 21 ans et sanctionnés pour vol, le pourcentage des réincarcérations grimpe à 72 % (Tournier et coll. 1997).

La récidive est une mesure qui présente cependant l'inconvénient d'isoler un seul moment d'une trajectoire criminelle : celui qui sépare deux condamnations. Les recherches longitudinales présentent l'avantage d'embrasser du regard la durée complète des trajectoires criminelles. Et elles saisissent mieux la continuité de l'activité délictueuse.

On entend par continuité l'enchaînement des délits et, surtout, le fait que plus le nombre de délits commis dans le passé par un individu est élevé, plus il est probable qu'il en commettra d'autres. Dans la cohorte formée par tous les garçons nés à Philadelphie en 1945, les délinquants arrêtés trois fois par la police présentent un risque de 80 % d'être arrêtés une quatrième fois (Wolfgang et coll. 1972). Le meilleur prédicteur de la récidive d'un délinquant, c'est tout simplement la fréquence de son activité criminelle passée (Piquero et coll. 2003).

Selon Nagin et Paternoster (2000), la continuité de l'agir délictueux peut être conçue de deux manières. Elle peut être attribuée d'abord à des caractéristiques stables de la personne apparues dès l'enfance et produisant une propension au crime distinctive, notamment une incapacité à se maîtriser. La deuxième conception fait découler cette continuité des événements, du milieu et des gestes posés par la personne au cours de sa vie : les rencontres, l'activité criminelle elle-même et le style de vie qui l'accompagne contribuent à l'incrustation dans le crime. C'est ainsi que les délits commis par un individu le couperont, par exemple, de sa famille et resserreront ses liens avec ses pairs délinquants avec, pour résultat, qu'un délit en entraînera un autre. Aux yeux d'auteurs comme Gottfredson et Hirschi (1990) et Farrington (1997), la propension stable à la délinquance domine. Ainsi voyons-nous l'impulsivité, les troubles de comportement et l'agressivité mesurés chez l'enfant continuer de faire sentir leur influence criminogène jusqu'à l'âge adulte. Cependant, quand ces variables sont tenues constantes, Nagin et Paternoster constatent que la délinquance au temps 1 exerce une influence spécifique sur la délinquance au temps 2. Par exemple, le simple fait pour un individu de commette des délits à 18 ans, fait monter la probabilité d'en commettre aussi à 20 ans, indépendamment des caractéristiques qu'il présentait étant enfant. Cela signifie que la continuité ne peut être expliquée uniquement par les prédispositions acquises au cours de l'enfance, mais aussi en examinant les événements durant l'adolescence et la vie adulte. La démonstration de Laub et Sampson (2003) va en ce sens. Les variables mesurées au cours de l'enfance ne prédisent qu'imparfaitement les trajectoires criminelles. La part d'imprévisible reste importante. Ces auteurs ont obtenu des résultats mitigés quand ils ont voulu prédire les trajectoires de délinquants adultes à partir des données recueillies au cours de l'enfance. Les meilleurs prédicteurs — troubles de comportement, agressivité, faible quotient intellectuel, incompétence éducative des parents — ne permettent pas d'identifier à l'avance la courbe des trajectoires délinquantes. Ces facteurs permettent de prédire, avec une efficacité limitée, les niveaux d'activité délinquante des sujets, mais guère plus. Plus long est l'intervalle de temps entre le moment où l'on mesure le « prédicteur » et celui où l'activité criminelle est observée, plus la prédiction devient incertaine (Le Blanc 1999). Il n'est donc pas vrai que les délinquants soient programmés dès leur enfance.

La continuité de l'agir délictueux ne doit pas faire perdre de vue un autre fait décisif : l'abandon de la carrière criminelle. En effet, tôt ou tard, la plupart des récidivistes cessent de commettre des délits. Ils prennent leur retraite du crime, se rangent. Les criminologues parlent à ce propos de désistement. Celui-ci intervient à n'importe quel âge. Dans un échantillon britannique d'hommes rendus à 40 ans, c'est à 26 ans, en moyenne, qu'on a cessé de se faire arrêter par la police (Farrington 2003). Mais on abandonne aussi durant l'adolescence et, assez fréquemment, entre 17 et 24 ans (Laub et Sampson 2001). C'est dans l'échantillon de 500 jeunes délinquants avérés, étudiés par les Glueck puis par Laub et Sampson (2003), que nous pouvons le mieux prendre la mesure de l'ampleur du désistement. Il s'agit de la seule enquête pour laquelle les chercheurs ont suivi des délinquants de 7 à 70 ans. Le désistement, mesuré par l'absence d'arrestation, est le fait de 79 % des sujets ayant atteint 40 ans. Tout au long de leur vie adulte, la fréquence annuelle du nombre des délits qu'ils commettent diminue année après année. Les malfaiteurs ont tendance à prendre une retraite progressive.

Jusqu'à maintenant, les faits connus sur la continuité et l'abandon n'ont pas été expliqués de manière satisfaisante. L'explication que j'en propose fait découler aussi bien la persistance que le désistement de deux processus complémentaires. Le premier obéit à une logique utilitariste. L'individu engagé dans le crime continue et persévère tant qu'il calcule que ses bénéfices l'emportent sur ses coûts. Et il abandonne quand ce rapport s'inverse. Mais ce genre d'explication laisse inexpliqués de nombreux faits. Car les êtres humains — délinquants compris — ne sont pas de purs calculateurs. Ils sont aussi guidés par leurs principes, par les règles qu'ils se donnent, par leur conception du juste et de l'injuste. Ces considérations introduisent une deuxième logique qui éclaire des constats dont un utilitarisme étroit ne peut rendre compte.

La première partie de ce chapitre portera sur le calcul coûts-bénéfices impliqué dans les décisions de persister ou d'abandonner. La deuxième sera consacrée à l'influence que le sentiment d'injustice subie exerce sur ces mêmes décisions.

Le calcul coûts-bénéfices

Selon l'hypothèse utilitariste, le délinquant décidera de continuer dans le crime tant que les bénéfices et les plaisirs tirés de son mode de vie délinquant l'emportent sur l'ensemble des sanctions et déboires liés à cette vie. Quand ce rapport s'inversera, la décision d'abandonner lui paraîtra s'imposer.

Des avantages supérieurs aux inconvénients

Pour quelles raisons un individu décide-t-il de continuer à commettre des délits et crimes ? Les faits à l'appui de l'hypothèse utilitariste ont déjà été évoqués aux chapitres 2, 3, 4 et 6. Le délinquant puise dans les jouissances et l'intensité de la vie festive de fortes raisons de persister dans l'erreur délinquante. L'attrait de cette vie sera d'autant plus puissant qu'elle apporte à qui la vit des plaisirs intenses et immédiats, alors que les conséquences négatives de l'activité délictueuse paraissent lointaines, incertaines et, en cas de délit non violent, peu importantes. Plus le solde avantages-inconvénients de la délinquance est positif, plus, toutes choses égales par ailleurs, la continuité sera probable.

Expliquer l'abandon d'une carrière criminelle en termes de rapport coûts-bénéfices exige des développements nouveaux et plus longs.

L'érosion du courage

> « *La vie est ainsi faite, la nôtre en tout cas, pleine d'incertitudes, d'impondérables, de péripéties, de chausse-trapes, d'accidents, de catastrophes, que sais-je encore.* » (Lucas 1995 : 206)

Au cours de la carrière d'un criminel, survient un moment où les dangers qu'il affrontait auparavant avec intrépidité en viennent à le terroriser ; où la peur des victimes, de l'incarcération, de la mort, hante ses jours et ses nuits. « *Et la peur s'était mise à m'habiter, une crispation terrible qui me nouait l'estomac et dont je ne parvenais à me débarrasser qu'en buvant...* » (Lucas 1995 : 355). La peur les rattrape. Les raisons de craindre ne manquent pas.

La peur de victimes

Brian avait entre 300 et 400 cambriolages à son actif. Puis arriva un moment où l'angoisse de retourner en prison le saisit et ne le quitta plus. Avant de passer à l'action, il devait boire pour se donner du courage. Un jour, raconte-t-il, il fut surpris par l'arrivée des résidents du logis qu'il était en train de dévaliser. Il n'avait pas pris la précaution de s'aménager une sortie à l'arrière de la maison. Dans un effort pour surmonter la terreur qui le saisit, il fit semblant d'avoir une arme en poche, ordonna aux gens de dégager et parvint à fuir. Mais cette nuit-là, il ne put ni dormir ni se retenir de trembler. Ce fut son dernier cambriolage. Deux ans plus tard, il obtenait un baccalauréat en sciences et trouvait un emploi dans la discipline de son choix (Shover 1996 : 8).

Les gibiers de prison

La raison de cesser de voler la plus souvent mentionnée par les voleurs invétérés, c'est la peur de l'incarcération (Shover 1996 : 141). Ces individus cessent de voler parce que c'est l'unique moyen de briser le cycle dans lequel ils se sont enfermés : les retours en prison, les libérations conditionnelles, les interrogatoires, les cavales, la clandestinité... Car, à partir du moment où ils sont fichés par la police, ces hommes deviennent transparents : les flics les connaissent trop bien, et leur *modus operandi*, et leurs complices, et comment ils vivent, et de quoi ils vivent. Ils se font alors attraper de plus en plus souvent et les incarcérations se succèdent à un rythme de plus en plus rapide.

L'ombre de la mort

Arrivés à un certain âge, les truands font le décompte des amis perdus : l'un tué lors d'un règlement de comptes, tel autre lors d'une fusillade avec la police, et celui-ci qui s'est tiré une balle dans la tête. Ils n'ignorent pas que la mort de leurs amis aurait pu être la leur. Laissons-leur la parole :

> « *Tu finis en prison ou tu meurs jeune. Tué par tes amis. C'est la loi du plus fort, du plus vite que toi. Il y a toujours quelqu'un plus vite que toi.* » (Provençal 1983 : 198)

> « *Parfois, j'apprenais la mort de tel camarade, puis de tel autre. Un tel, abattu en pleine rue dans une guerre entre voyous, tel autre tué par la police. Le banditisme offre un fort taux de mortalité précoce.* » (Maurice 2001 : 343)

> « *La mort faisait pourtant partie de notre univers. On prenait souvent des risques, mais ce n'est qu'après qu'on s'apercevait qu'on aurait pu être blessé ou mourir. En voiture par exemple, il aurait plusieurs fois suffi de rien pour qu'on se tue. On aurait pu mourir quand on se faisait tirer dessus par des paysans dans des champs ou par les propriétaires de maisons qu'on allait cambrioler. On a aussi entendu plusieurs fois les balles des flics siffler à nos oreilles.* » « *À vingt ans, je disais que je ne dépasserais pas les quarante. Un certain nombre de mes copains ne l'ont pas fait. Ils sont morts, après avoir été vivants. La mort était une évidence, aussi présente et intense que les plaisirs qu'on ressentait.* » (Kherfi et Le Gouaziou 2000 : 38)

Les risques cumulatifs

Quand un chercheur mesure l'impact d'une seule sanction pénale à un seul moment d'une trajectoire criminelle, il constate que son effet dissuasif est médiocre. Mais qu'en est-il de la totalité des sanctions de toutes sortes subies par un délinquant persistant tout au long de sa carrière : les incarcérations, les raclées par les victimes ou par les complices, l'ostracisme, les blessures ? Quiconque adopte le style de vie criminel commet 20, 30, 50 délits et crimes par année, quelquefois plus. La probabilité d'être puni, battu, blessé ou tué augmente au fur et à mesure qu'un individu additionne les infractions. C'est dire que sa *probabilité cumulative* d'être sanctionné d'une manière ou d'une autre au cours de sa carrière est beaucoup plus élevée que ne l'est son risque d'arrestation quand il commet une seule infraction. Les prisonniers que l'on interroge à ce propos ne se font pas d'illusions. Ils savent que plus ils volent, plus ils s'exposent (Cusson 1983 : 205 ; Shover 1996 : 101). Une vaste enquête américaine nous apprend que 78 % des détenus américains conviennent qu'ils devront tôt ou tard, sous une forme ou sous une autre, payer le prix de leurs crimes (Robitaille 2001).

S'il est vrai, comme l'établissent la plupart des évaluations, qu'une mesure correctionnelle isolée ne produit pas d'effet significatif sur la récidive, il se pourrait que l'accumulation des sanctions pénales et des autres souffrances consécutives à une vie dans le crime produise un effet d'usure et débouche sur le désistement (Cusson 1983 ; Laub et Sampson 2003 : 39).

La dissuasion tardive

Selon une logique semblable, plus un délinquant prend de l'âge, plus il est porté à craindre les sanctions et déboires qui vont de pair avec ses agissements. La témérité de son adolescence s'est évanouie. Il connaît d'expérience, et non par un effort d'imagination, que c'est douloureux de recevoir une correction, de perdre la liberté, d'être trahi par ses amis, abandonné par sa femme. Son corps garde le souvenir des coups reçus. Il n'a plus l'insouciance et le courage de la jeunesse. La vie en prison qu'il supportait bien à 20 ans lui paraît intolérable à 40. Il devient craintif. Les sanctions et les épreuves, longtemps sans effet, en viennent à lui faire peur.

Finalement, il doit se rendre à l'évidence : à long terme, le crime ne paie pas ; ses gains sont dilapidés ; l'appareil pénal, malgré tous ses ratés, ne le lâche pas, l'use et le broie. « *Le système est plus fort que moi.* » (Shover 1996 : 137) La conclusion s'impose : pour que sa vie ne soit pas un lamentable échec, la seule solution est de renoncer au crime. Mais sa capitulation est aussi une décision.

Le choix de reconstruire sa vie

> « *Un jour, sans doute parce que je le voulais, mais aussi parce que j'en eus l'opportunité, je fis d'autres choix que mes non-choix de gamin. Un jour, j'ai décidé de modifier le fil de ma vie, de bouleverser ma vie, de changer mon destin.* »
>
> (Maurice 2001 : 379)

Voici comment de nombreux ex-délinquants expliquent aux chercheurs pourquoi ils ont mis un terme à leur carrière criminelle. Autrefois, je me laissais ballotter par les événements, les occasions, les amis. Je ne décidais rien. Je dérivais. J'avais bien le vague désir de vivre autrement, mais ce n'était que velléités. Puis, un jour, j'en ai eu assez de cette vie mouvementée et dangereuse. C'est alors que je décidai de ne plus retourner en prison (Pinsonneault 1985 ; Cusson et Pinsonneault 1986 ; Shover 1996 : 130 ; Laub et Sampson 2001).

C'est tout son mode de vie que le délinquant décide alors de changer. Car comment résister aux tentations si l'on continue de faire la fête et de fréquenter des gens sans scrupule ? Le choix d'une conjointe n'est pas indifférent. Parmi les hommes qui ont tourné la page du crime, quelques-uns ont jeté leur dévolu sur une femme de conviction et de caractère. Parce que, disent-ils, elle était capable de les rappeler à l'ordre (Pinsonneault 1985 ; Giordano et coll. 2003). Les ex-détenus réhabilités choisissent dorénavant leurs amis avec circonspection. Pour persévérer dans la bonne voie, ils s'attellent à la construction d'un tout nouveau réseau social (Giordano et coll. 2003).

D'autres fois, des événements précèdent la décision de changer de vie. Un homme se marie, trouve un emploi. Le nouveau contexte dans lequel il baigne le change peu à peu. Il investit dans son boulot et il est heureux avec sa femme. Puis un jour, pour ne pas compromettre sa nouvelle vie, il refusera de commettre d'autres infractions (Laub et Sampson 2003 : 279).

Le schéma utilitariste ne peut cependant rendre compte de la trajectoire d'irréductibles qui s'entêtent dans une voie leur rapportant plus de déboires que de plaisirs. Ce sont eux qui, depuis le XIXe siècle, déroutent tant les médecins et les psychiatres (Renneville 2003). Pourquoi, n'étant pas déments, persistent-ils dans une conduite d'échec ?

La réciprocité et la justice

La plupart des meurtriers que j'ai étudiés, disait Étienne De Greeff (1942, 1948, 1955), expliquaient leur crime par les injustices dont ils auraient été les victimes. Ces criminels étaient convaincus d'être toujours du côté des offensés et des justes, jamais du côté des agresseurs ou des exploiteurs. Il était clair pour De Greeff que ce sentiment d'injustice subie jouait un rôle majeur dans la « criminogénèse ». Matza (1964) ne raisonnait pas autrement. Il soutenait que les procédures arbitraires et l'absence de rigueur des tribunaux américains de la jeunesse nourrissaient le sentiment d'injustice des jeunes délinquants. Ces jeunes gens se sentaient déliés de l'obligation de respecter les lois par les injustices qu'ils disaient subir. Ils se laissaient alors dériver dans la délinquance.

Les travaux récents sur la justice procédurale font voir que les thèses de De Greeff et de Matza n'ont pas vieilli. Lorsque les délinquants se disent victimes de procédures injustes, ils sont plus portés que d'autres à récidiver (Paternoster et coll. 1997; Tyler 2003).

La logique du juste et de l'injuste permet de comprendre l'incrustation dans une délinquance contre-productive. Cette persistance, que ni la démence ni le calcul ne peuvent expliquer, tient à une incapacité de maintenir des rapports interpersonnels équitables et équilibrés. Le récidiviste s'enferme dans des rapports vindicatifs avec ses employeurs, ses complices, ses amis, les femmes, ses victimes, les policiers, son agent de libération conditionnelle, l'univers entier. Ne parvenant pas à respecter autrui, il l'offense, le dépouille et l'agresse. Ce faisant, il s'attire les punitions, l'ostracisme et les vengeances auxquelles il voudra répondre par des représailles. Cette *vendetta* contre tous commence quand l'enfant n'ayant appris à respecter ni les règles ni le consentement d'autrui a maille à partir avec son entourage. Elle continue de faire rage parce que cette carence de respect ne se corrige pas aisément et parce qu'autrui est porté à riposter quand il est offensé ou dépouillé. Ainsi s'explique la continuité de la délinquance depuis l'enfance et pourquoi elle tend à se nourrir d'elle-même. La persistance dans une activité criminelle sans issue devient plus probable encore quand le délinquant échafaude pour son propre bénéfice une théorie complaisante du juste et de l'injuste, grâce à laquelle ses délits et crimes sont conçus comme des moyens légitimes de lutter contre l'iniquité. Ce système de justifications lui enlève tout désir de changer.

Les faits à l'appui de cette thèse seront présentés en distinguant : 1. les relations que le délinquant entretient avec son prochain et 2. celles qu'il noue avec la société en général.

Le criminel et l'autre

La réciprocité négative

L'histoire des relations interpersonnelles des délinquants invétérés est ponctuée d'une succession d'échecs et de conflits qui les conduisent à attendre le pire de l'autre. C'est dans la famille, nous l'avons vu, que tout a commencé. Les rapports du futur délinquant avec ses parents, frères et sœurs s'installent sur le mode de la coercition : chacun force la main de l'autre. Les parents font subir à l'enfant ce qu'il perçoit comme des agressions. L'enfant lui-même n'est pas en reste : il contraint sa mère par ses cris et ses crises ; ses frères et sœurs, par la force.

Ces interactions sont dictées par la réciprocité négative. Celui qui vole ou attaque s'expose à ce qu'on lui rende la pareille. À son tour, il voudra riposter aux représailles. Puis s'enchaînent les vengeances et les contre-vengeances. Et il est difficile de se dépêtrer de la réverbération sans fin de la *vendetta*.

Une clef de la continuité de la délinquance paraît se trouver dans ces échanges vindicatifs. Cette logique de l'hostilité mutuelle continue de jouer quand, devenu adolescent, puis adulte, le récidiviste cause à autrui des préjudices injustes, appelant des réponses sur le même ton. Il est inévitable que ces échanges répétés de mauvais procédés creusent un fossé entre le criminel et l'autre.

En effet, Fréchette (1970) a démontré que les jeunes délinquants et les criminels adultes sont portés à se percevoir différents d'autrui. Ils ne parviennent pas à s'assimiler mentalement aux membres de leur réseau social, à les voir comme des partenaires d'échanges mutuellement profitables. Ils n'ont aucune affinité pour les figures d'autorité et guère plus pour leurs camarades honnêtes. Ils se sentent naturellement plus proches de leurs pairs délinquants mais, même avec eux, ils marquent leur ambivalence (voir aussi Fréchette et Le Blanc 1989 : 275-277). Ce sentiment d'éloignement empêche le délinquant de s'ajuster aux attentes d'autrui.

Bref, le délinquant est incapable de traiter autrui avec justice et autrui lui rend la pareille. Ainsi se forge une chaîne de représailles qu'il est difficile de briser parce qu'il y a toujours l'un des deux protagonistes qui a un compte à régler avec l'autre.

Les justifications de la réciprocité négative

Quiconque se laisse entraîner dans ce cycle d'échanges hostiles sera conduit à édifier une théorie de l'injustice grâce à laquelle il minimisera et justifiera ses agissements. Les justifications les plus fréquentes sont au nombre de trois (voir aussi Matza 1964).

1. Que des peccadilles

Le préjudice causé est minimisé, au point de sombrer dans l'insignifiance. Quand la faute se réduit à presque rien, elle cesse d'en être une. « *Le trafic de voitures est bénéfique, et pas trop immoral quelque part... Les assurances remboursent.* »

(Chantraine 2004 : 118)

2. Il n'a eu que ce qu'il mérite.

« *J'ai lésé des gens. Mais ceux que j'ai lésés étaient aussi des voleurs, à leur façon. J'estime qu'on est quittes. Finalement je suis devenu truand par sens de la justice. Ce n'est pas la révolte qui m'étonne, c'est le contraire.* » (Guillo 1977 : 10)

> *« Le vol, ça se discute. T'as vu les marges que prennent les marques de vêtements et les parfums par exemple ? Alors le vol ! Quel vol ? »* (Henni et Marinet 2002 : 50)

Les voleurs et les agresseurs blâment leurs victimes, les disqualifient, les chargent de tous les vices. Elles l'ont cherché. Les gens que nous volons sont des exploiteurs et des usurpateurs. « La propriété, c'est le vol. » Les délinquants pardonnent moins facilement que les non-délinquants ; ils jugent et condamnent sans appel, ne tolérant aucune faiblesse (Born 2003 : 147).

3. La légitime défense et le droit de rendre les coups.

> *« Si des hommes ont perdu la vie sous mes balles, c'est qu'il m'a fallu faire un choix entre leur vie ou la mienne. En acceptant un face à face armé, ils ont pris leurs risques, tout comme j'ai pris les miens. »* (Mesrine 1977 : 324)

Certains criminels s'autorisent à tuer en évoquant la loi du talion et la légitime défense : je l'ai tué parce qu'il m'avait frappé le premier et parce qu'il mettait ma vie en danger. Un droit de représailles les justifie de mener des attaques préventives et d'exercer leur vengeance.

Un monde injuste

De temps à autre, le délinquant est châtié ; mais, dès lors qu'il légitime à l'avance ses forfaits, il paraît hors de question d'admettre la justesse des peines dont on le frappe. Celles-ci nourrissent son sentiment d'injustice et sa révolte.

Plus le multirécidiviste est disposé à s'absoudre, moins la justice des hommes trouve grâce à ses yeux. Que ses griefs soient fondés ou non importe peu, car ils produisent des conséquences bien réelles. Voici le réquisitoire qu'il dresse à l'encontre du système de justice pénale et de la société.

Les peines sont excessives et arbitraires

Des hommes persuadés qu'ils ne causent pas de torts, que leurs victimes méritent bien leur sort et qu'ils ont le droit de rendre les coups trouveront cruelle une peine tant soit peu sévère. Et celle-ci leur apparaîtra absolument démesurée quand ils la mettront en rapport avec l'impunité dont ils avaient longtemps profité.

L'individualisation des peines entretient aussi le sentiment d'injustice. « *Ils te jugent plus sur ton passé que sur l'affaire en elle-même.* » (Chantraine 2004 : 109) Chacun s'attend à un minimum de proportionnalité entre la sévérité de la peine et la gravité de l'infraction. L'individualisation récuse en doute ce souci de préserver cette commune mesure.

Dans ce monde injuste, prévaut la loi du plus fort

Faisant le bilan de ses déboires avec les gendarmes, les juges, ses parents, ses amis, le genre humain, le malfaiteur confirmé conclut : il n'y a pas de justice ici-bas. L'homme est un loup pour l'homme.

> « *Ne me parlez plus de l'honneur, de la vertu, de la justice, ce ne sont que de vains mots... Qui cachent... l'injustice, l'iniquité.* »
> (Nougier dans Artière 1998 : 89)

> « *L'injustice est patente dans notre monde, l'injustice et l'hypocrisie. Trop de gens se fichent des autres, trop de riches méprisent les pauvres.* » (Kherfi et Le Goaziou 2000 : 40)

> « *Il n'y a pas de vies droites, de vies sans magouilles, sans voler... Tout le monde vole... Le plus gros mange le plus petit.* » (Chantraine 2004 : 110)

Ces hommes divisent le monde en deux : les forts et les faibles. Il est inévitable que les premiers exploitent les seconds. Dans un tel monde, il est absurde et dangereux de s'entêter à respecter les règles. Car l'on se condamne alors à être la proie du premier venu.

De la théorie à l'action criminelle

« Cette loi ne me concerne pas »

La théorie de l'injustice universelle échafaudée par le récidiviste n'est pas seulement un système de rationalisations faciles. Elle donne une impulsion supplémentaire à son activité criminelle. Nul sentiment d'obligation ne retiendra le voleur se disant : mes vols ne causent aucun tort et le monde est peuplé de voleurs. L'obligation, ce lien moral qui assujettit l'individu à la règle, est annihilée par la conviction que le monde est injuste. Celle-ci autorise quiconque l'adopte à disqualifier les lois et à agir comme bon lui semble. « *Ces lois ne s'appliquent pas à nous.* » (Nougier dans Artière 1998 : 83) « *Je suis un pur déviant. Et le déviant dit : Cette loi ne me concerne pas. Il la transgresse parce qu'il ne la reconnaît pas pour sienne.* » (Lucas 1995 : 61)

Les résidents de Chicago persuadés de la légitimité des lois les respectent mieux que les autres. Les jugements subjectifs posés par les citoyens sur l'équité des procédures adoptées par les juges et les policiers sont en rapport avec la fréquence des délits qu'ils commettent ensuite. Les justiciables qui se font insulter ou brutaliser par les policiers, qui sont mal défendus par leurs avocats, qui n'ont pas voix au chapitre au cours du procès se sentiront moins liés par la loi que ceux qui arrivent à la conclusion contraire (Tyler 1990 et 2003).

Dans le cadre de l'expérimentation menée par Sherman sur la violence conjugale, il avait été possible de mesurer la perception de la justice procédurale en combinant les réponses des conjoints violents aux questions :

« Les policiers ont-ils pris le temps de vous écouter, vous et votre conjointe ? » « Ont-ils usé de force physique lors de l'arrestation ? » Les conjoints brutaux qui répondent positivement récidivent plus souvent que ceux qui disent avoir été traités correctement (Paternoster et coll. 1997).

Loin d'être théorie pure, les notions très particulières de justice soutenues par le délinquant agissent sur son comportement. Elles lèvent ses inhibitions, lui fournissent des raisons commodes de ne faire aucun effort pour respecter la loi, le mettent en harmonie avec ses réflexes défensifs et hostiles et nourrissent son ressentiment et sa révolte.

La rébellion

> *« J'ai choisi la révolte et dès ce jour les refus de la société n'ont plus eu d'importance pour moi. J'ai violé ses lois avec plaisir et vécu en dehors d'elles. Je me suis attribué le droit de prendre... Hors-la-loi... La société a perdu toute emprise sur moi et m'a rendu "inintimidable" à ses sanctions pénales. »*
>
> (Mesrine 1997 : 324)

> *« Oui, qu'avais-je donc appris ? À résister, d'abord, envers et contre tous, ensuite, le mépris : le mépris viscéral, définitif du système et de ses séides, les fonctionnaires. »* (Lucas 1995 : 430)

Le sentiment d'injustice attise la révolte. Quiconque refuse absolument d'admettre que les peines dont on le frappe sont méritées, les subit comme des agressions. Il ressent les arrestations et les sentences comme des attaques haineuses auxquelles il se sentira justifié de riposter. Il refusera de se laisser briser, de vivre à genoux. Il se braquera, s'insurgera. Plutôt que de se laisser intimider, il se promettra d'aller jusqu'au bout.

La sanction, écrit Sherman (1993), aura tendance à provoquer le contraire de l'effet désiré quand le délinquant se révolte parce qu'il juge la peine illégitime, et quand il ne se sent pas lié à celui qui le punit. Il refusera d'admettre ses torts, et s'il n'ose s'en prendre directement à celui qui le punit, il dirigera son agressivité contre une autre cible.

Certaines révoltes vont jusqu'au meurtre. Ainsi en est-il des membres de la bande à Bonnot qui, au début du XXe siècle, se rendit célèbre par ses braquages et ses meurtres. Dès l'enfance, écrit Boudard (1989), Jules Bonnot (né en 1876) se forge une âme de révolté. À l'école, on le juge indiscipliné et rétif. « Il travaille très jeune et, là encore, il est mal noté. Il se rebelle contre le patron, les contremaîtres. On le renvoie. On l'accuse plusieurs fois de vols. Les a-t-il vraiment commis ? En tout cas, il fait connaissance avec la flicaille et, à 17 ans, il a un casier judiciaire. » (p. 29) Boudard poursuit : « Il se fâche avec un père qui lui avait surtout administré des taloches en guise de caresses. Il se bat un peu partout dans les bistrots et sur les lieux de son travail. » Il réussit quand même à devenir un mécano de première classe. Il est embauché à Saint-Étienne. Mais une grève éclate à laquelle il participe. La police l'arrête à la suite d'une bagarre. Il perd son emploi, puis sa femme le quitte. C'est alors qu'il se met à vivre de vols, cambriolages, fausse monnaie. Il s'affiche comme anarchiste. « La société est mauvaise et elle n'est pas modifiable, on va donc lui déclarer la guerre. L'issue ne peut-être que la mort... Alors vive la mort ! » (Boudard 1989 : 32) Un jour, il tue un complice au cours d'une dispute. Puis, avec sa bande, enchaîne une série de braquages et de meurtres. Il finit encerclé par une véritable armée de policiers et de gendarmes contre laquelle il se défend farouchement. Il faudra qu'on dynamite son refuge pour en venir à bout.

Aux yeux du criminel habité par la révolte, plus rien ne compte, pas même son propre intérêt. L'injustice subie tourne à l'obsession. Il ne pense qu'à se venger de la société. Il est prêt à tout pour démontrer qu'« ils » ne réussiront jamais à le briser.

La découverte tardive de la réciprocité et de la justice

Pour rendre intelligibles certaines décisions d'abandonner une carrière criminelle, il est possible de faire appel à la même logique de la réciprocité et de la justice, à la condition de lui affecter cette fois-ci un signe positif.

Je rappellerai auparavant les faits les mieux établis sur le désistement. Les délinquants cessent de commettre des infractions, quand, d'une part, ayant atteint plus ou moins 25 ans, ils se trouvent un emploi stable qu'ils aiment et, d'autre part, ils nouent une relation conjugale durable avec une femme non déviante assez solide pour les soutenir dans leur réinsertion sociale. Mais ici aussi l'âge compte. Les unions précoces — au Québec, l'âge charnière est de 23 ans — sont positivement associées à la persistance dans la délinquance. Au contraire, passé cet âge, une union conjugale stable favorise le désistement (Ouimet et Le Blanc 1993 ; Farrington 2003 ; Laub et Sampson 2001 et 2003 : 272).

En 1984, Axelrod a fait la démonstration que, dans un jeu inspiré du dilemme du prisonnier, la stratégie gagnante est de « rendre la pareille » quand les joueurs doivent jouer une longue succession de parties. Dans un tel jeu, le gain le plus élevé va à celui qui trahit son complice, cependant que ce dernier garde le silence. Et les pires scores vont à ceux qui se trahissent mutuellement ou à celui qui garde le silence alors que son complice le dénonce. Si les deux joueurs restent solidaires et se taisent, tous deux réalisent un gain modéré, mais intéressant. L'appât du gain maximal pousse chacun à trahir l'autre, mais quand tous les deux le font, tous deux perdent. Axelrod a montré que, quand les protagonistes doivent jouer une série de parties, la stratégie qui rapporte le plus consiste à « rendre la pareille » : le joueur commence par un bon mouvement et, ensuite, il agit comme l'autre a agi, répondant à la trahison par la trahison et à la coopération par la coopération. Cette stricte réciprocité fait émerger la coopération, chacun répond au bon mouvement de l'autre par un autre bon mouvement. Cependant, si un joueur trahit, l'autre fera de même et ainsi de suite, dans une longue succession d'hostilités mutuelles.

Appliquée à nos délinquants, cette logique de l'interaction tend à enfermer le malfaiteur qui dépouille et agresse les gens dans des échanges hostiles. En revanche, elle l'installe durablement dans des rapports de coopération quand il se conduit bien et tient parole. Renonçant à la force et à la ruse, il peut obtenir d'autrui ce qu'il en attend par la persuasion et l'échange. Quand il se trouve un emploi, il entre dans le cycle de la réciprocité. On l'a payé pour son travail, ce qui lui donne les moyens d'acheter plutôt que de voler. Il peut donner et il reçoit en retour : contribution-rétribution. Il s'interdit de recourir à la fraude ou à la violence et cesse d'être victime de ce genre de procédé. C'est ainsi qu'il parvient à briser le cercle vicieux des échanges hostiles, et à enclencher un mouvement en sens inverse : non plus échanges de coups, mais de services et de biens. Ces rapports mutuellement avantageux lui paraîtront manifestement justes et équitables, ce qui le conduira à admettre que tout n'est pas qu'injustice en ce monde et à convenir que sa vision de l'iniquité universelle ne correspond plus à la réalité. Sa rébellion perdra son sens. Puis, peu à peu, il se trouvera enserré dans une toile d'obligations réciproques, de rapports mutuellement avantageux, mais qui n'en sont pas moins contraignants. Car si ses proches l'entourent et le supportent, ils l'obligent aussi.

Récapitulation

La persistance dans le crime s'explique d'abord par un solde criminel positif : la somme des plaisirs et des bénéfices du style de vie délinquant est supérieure à la somme des déplaisirs que cette vie apporte. Elle s'explique aussi par l'enfermement du malfaiteur dans la réciprocité négative et le sentiment d'injustice subie.

Pour sa part, l'abandon d'un mode de vie délinquant découle de deux processus complémentaires. D'abord, l'irruption tardive de la peur suscitée par l'accumulation des sanctions et déconvenues précipite la décision d'abandonner un mode de vie voué à l'échec. Ensuite, le développement de rapports interpersonnels fondés sur la réciprocité et le respect mutuel soutient la décision d'abandonner, atténue la virulence du sentiment d'injustice subie et, enfin, substitue l'échange et le don à la violence et à la ruse.

CINQUIÈME PARTIE

Conclusion

Chapitre 11

Un choix de vie

Le temps est venu de synthétiser les dix chapitres qui forment le corps de cet ouvrage. En les écrivant, mon but était d'expliquer en termes de raisons les actions des délinquants actifs. Plutôt que de les considérer comme de prévisibles pantins dont les ficelles auraient la solidité de déterminismes, il me paraissait plus juste de faire découler leurs actions de leurs choix, de leurs calculs et de leurs stratégies. Le choix le plus lourd de conséquences est la décision de faire passer la fête avant toutes choses. En découlent les vols, les fraudes et les violences. Mais pourquoi certains jeunes gens préfèrent-ils ce mode de vie ? Le lecteur trouvera une réponse dans la dernière partie du chapitre. Il ne lui échappera pas que je persiste jusqu'au bout à traiter les délinquants comme des êtres capables de faire des choix adaptés aux circonstances dans lesquelles ils sont plongés.

La théorie

Le livre s'ouvrait sur un constat qu'aucune recherche n'a encore réfuté : chacune de nos sociétés contient en son sein une petite minorité qui se rend responsable d'une quantité d'infractions plusieurs fois supérieure à son importance numérique dans son groupe d'âge. L'activité délictueuse de ces jeunes gens est diversifiée, incluant plusieurs sortes de délits et crimes de gravités variables. Leur trajectoire criminelle est relativement longue. Ils se rendent coupables de la majorité des crimes graves perpétrés au sein d'une société. En revanche, ces crimes graves ne représentent qu'un faible pourcentage de toutes les infractions qu'ils commettent.

Les principes

Ces caractéristiques s'expliquent en posant pour hypothèse que le délinquant actif, comme tout être humain, s'adapte aux situations qu'il théorise en cas d'incertitude. Trois principes simples, mais fondamentaux, donnent cohérence aux diverses facettes de son activité délictueuse.

1. *Le calcul coûts-bénéfices* — Dans l'environnement qui est le sien, violer la loi présente, à court terme, plus d'avantages que d'inconvénients.

2. *La réciprocité négative* — Il reçoit des coups ; il rend la pareille et s'en justifie par une théorie de l'injustice subie. Il s'enferme ainsi dans le cycle des échanges vindicatifs.

3. *Le défaut de développement social* — N'ayant appris à prendre au sérieux ni l'avenir ni les règles de la vie en société, il est insuffisamment gouverné par les conséquences futures de ses actes et par les normes sociales.

Les raisons pour lesquelles ces individus plongent tête baissée dans la délinquance peuvent-être divisées en deux catégories. Certaines rendent compte de la fréquence, de la diversité et de la persistance de leur activité délictueuse ; d'autres, de leur gravité.

La fréquence, la diversité et la persistance

Durant les premières années de leur vie, certains enfants n'ont appris ni à se soumettre aux règles, ni à solliciter le consentement de l'autre, ni à tenir en laisse leurs impulsions agressives, ni à tenir compte des conséquences éloignées de leurs actes. Ces carences les ont conduits à utiliser la tromperie et la violence pour arriver à leurs fins. Ces agissements se sont incrustés parce qu'il est difficile d'apprendre à échanger, à donner et à persuader quand on ne l'a pas appris tôt et parce nous avons le réflexe de traiter autrui comme il nous a traités. En effet, selon le principe de « rendre la pareille », chacun est porté à infliger à l'autre le tort qu'il lui a fait subir. De plus, enfermés dans le moment présent, ces enfants sont portés à passer à l'acte chaque fois qu'un résultat immédiat paraît souhaitable; ils sautent sans hésiter sur les occasions et réagissent au quart de tour aux provocations.

Rejetés par les enfants mieux adaptés qu'eux, ils se réfugient dans la compagnie de leurs semblables. Devenus adolescents, puis adultes, ils prennent l'habitude de sortir tard. Nuit après nuit, ils font la fiesta, dépensant trop et ne gagnant pas assez. Cette vie exige des rentrées d'argent permanentes : il faut bien se renflouer pour continuer à fêter. La fréquence de leurs vols et fraudes est fonction des revenus dont ils ont besoin pour financer leur vie de flambeur.

Les sanctions dont on les frappe ne suffisent pas à faire contrepoids à leurs plaisirs et gains illégitimes. En effet, ces individus finissent par gagner des sommes considérables en additionnant les vols et les combines douteuses. Constatant que leurs gains sont supérieurs à leurs coûts, ils persistent dans le crime.

Cependant, le truand finit par être rattrapé par les conséquences à long terme de ses fautes passées. Une victime se rebiffe et lui inflige une blessure sévère; il supporte de plus en plus mal la détention ; un complice tente de le tuer ; il se dit que s'il continue, il ne fera pas vieux os. Il envisage alors d'opérer un virage à 180 degrés. Ses chances d'y réussir sont bonnes s'il noue une relation solide avec une femme et s'il trouve un emploi convenable. Et puis, faisant l'effort de bien traiter les gens autour de lui, ces derniers feront de même. C'est ainsi qu'il établit avec son entourage des rapports fondés sur la justice et le consentement. Ce nouveau type de relations lui offre de bonnes raisons de respecter et les règles et autrui : il le fera pour préserver des relations d'échanges mutuellement avantageuses.

La gravité

Pourquoi entre 60 % et 80 % des crimes graves sont-ils le fait d'un petit nombre de malfaiteurs suractifs ? Cela tient 1. à la fête, 2. au Milieu, 3. à l'impunité et 4. à la rébellion.

1. Quand ils font la fiesta, ils font comme si tous les interdits étaient levés. De plus, ils sont souvent ivres, survoltés et armés. Si alors quelqu'un les provoque, ils seront portés à réagir en blessant ou tuant leur offenseur.

2. Les rapports interpersonnels, ni structurés, ni réglés, ni arbitrés, comme ceux qui prévalent dans la pègre, sont volatils et potentiellement explosifs. L'ordre de préséance y est fixé par la loi du plus fort. Et comment déterminer le plus fort sinon par la victoire au combat ? Le milieu criminel dans lequel baignent les délinquants suractifs et l'hostilité à laquelle ils doivent faire face les maintiennent dans un état de guerre qui les oppose à leurs comparses, aux forces de l'ordre et à leurs victimes. Ils se voient alors conduits à intimider, se défendre, riposter, attaquer et se venger. Il arrive que tout cela débouche sur le meurtre.

3. L'impunité dont ils ont joui pendant des années les a insensibilisés à la gravité de leurs transgressions. Nul tabou ne les retient devant l'acte grave.

4. Il leur arrive de se révolter contre la société dont ils subissent les châtiments comme des agressions injustes. Certains crimes particulièrement choquants sont l'expression de cette révolte.

L'autre problème soulevé par les crimes graves est celui de leur rareté, non de leur fréquence : pourquoi ne représentent-ils qu'une faible proportion de toutes les infractions dont les malfaiteurs suractifs se rendent coupables ? La raison en est que les bons délinquants prennent acte du fait que les contrôles sociaux sont dosés selon le degré de gravité des infractions. Ils ne sont pas sans savoir que les meurtres, les viols et autres attentats graves indignent tout le monde et ameutent l'opinion et les politiciens ; que les policiers s'attellent à la tâche de mettre la main au collet des auteurs de ces crimes ; que les juges ne leur font pas de cadeaux. Les malfaiteurs qui ne sont pas tout à fait inconscients savent donc qu'ils n'ont pas intérêt à perpétrer un crime grave. S'impose alors à leur esprit une ligne d'action prudente : autant que faire se peut, s'en tenir aux degrés inférieurs de gravité. Pour maximiser leurs gains, ils préféreront augmenter la cadence de leurs délits en évitant de dépasser le seuil de gravité au-delà duquel le prix à payer serait exorbitant. Quand, par malheur, il est arrivé à l'un d'eux de commettre l'irréparable, c'est que la situation avait dégénéré, qu'il avait perdu le contrôle de lui-même ou que sa survie était en jeu.

Ces hommes paraissent donc écartelés entre des forces tirant dans des directions opposées. D'un côté, leur style de vie et leurs fréquentations les exposent à monter aux extrêmes. De l'autre, l'action dissuasive des contrôles sociaux les incite à s'en tenir à des infractions de faible ou moyenne gravité.

Les raisons de choisir un mode de vie délinquant

En somme, la fréquence des infractions commises par ces individus, leur diversité et leur gravité s'expliquent, pour l'essentiel, par la manière dont ils vivent. Ce mode de vie présente trois caractéristiques.

Premièrement, ses adeptes accordent une importance démesurée à la fête, sortant presque tous les soirs, consommant alcool et drogue, jouant à l'argent. Ces habitudes les rendent sujets à tous les débordements.

Deuxièmement, cette vie fixe ceux qui la vivent sur l'instant présent.

Troisièmement, elle les immerge dans un milieu criminel qui non seulement les encourage à mal faire, mais aussi les fait entrer dans une guerre permanente contre tous. Exposés à des dangers omniprésents, ils prennent l'habitude de sortir armés ; ils affichent une posture de dur à cuire à qui on ne la fait pas ; ils contre-attaquent, se vengent, tuent préventivement. Puis, avec leurs comparses, ils font prévaloir la loi du silence par l'intimidation et, si celle-ci ne suffit pas, mettent leurs menaces à exécution.

Appelons *mode de vie délinquant* cette vie caractérisée par la place excessive qu'y occupent la fête, la prédominance du moment présent et l'insertion dans le Milieu.

Cette manière de vivre ne manque pas d'attraits : le plaisir, la fête, l'intensité, l'argent facile, le sentiment d'être au-dessus des lois. Cependant, elle n'est envisagée que par les garçons dépourvus de scrupules et de contrôle de soi. Quant aux autres, ils la repoussent d'emblée parce qu'ils sont dotés de la force de caractère nécessaire pour résister aux tentations et qu'ils ont, au cours de leur enfance, intériorisé les interdits frappant le vol, la fraude, la violence.

Choisir sa vie en pesant le pour et le contre

Un garçon tenté par ce mode de vie se trouve placé devant une alternative : ou bien une vie excitante aux marges de la loi ou bien une vie rangée, mais sans relief. En raisonnant comme les économistes, nous postulons que l'option sur laquelle il s'arrêtera présentera, à ses yeux, le meilleur rapport coûts-avantages. Les coûts d'une option incluent tout ce à quoi il doit renoncer s'il s'y arrête.

Le milieu et la situation dans lesquels se trouve ce jeune homme jouent un rôle décisif sur son choix, car ils affectent les coûts et les bénéfices des possibilités offertes. Il s'ensuit qu'un acteur social préférera un mode de vie délinquant à une vie rangée si, comparant les avantages et les inconvénients de ces deux options, il conclut que, dans la situation qui est la sienne, la première possibilité lui offre plus de satisfactions à court terme que la seconde.

Écoutons le jeune homme engagé jusqu'au cou dans la délinquance :

> *«Je me lève quand j'en ai envie et me couche quand ça me tente. Je suis libre de mon temps et de mes choix. Je m'envoie en l'air. J'épate les copains. Je suis entouré de filles. Ma vie, c'est l'aventure et la jouissance tous les jours. Quand j'ai besoin d'argent, je sais où en trouver sans me fouler la rate. La police ne m'attrape pas souvent et je suis disposé à payer de quelques incarcérations la vie formidable que je mène. D'ailleurs, quelle est l'autre alternative ? M'astreindre à un boulot mal payé et d'un ennui mortel ? Courber l'échine devant un patron stupide, mesquin et exploiteur ? Quand on a devant soi le plaisir, l'intensité, l'argent facile d'une part, et, de l'autre, l'ennui, la médiocrité et l'esclavage, on ne balance pas.»*

Aux yeux de ce garçon, seul compte ce qu'il vit dans l'instant présent. Pourquoi craindre la peine ? Il y échappe la plupart du temps. Il est vrai que des catastrophes se profilent à l'horizon lointain : d'interminables séjours en prison, la mort violente. Mais, se dit-il, nous mourrons tous et mieux vaut mourir un peu plus tôt que de végéter comme un mort vivant. Les coûts de la délinquance, c'est-à-dire ce à quoi il doit renoncer en la choisissant, lui sont connus. Mais ils ne lui paraissent pas excessifs : le boulot qu'il sacrifie serait, à coup sûr, asservissant, et la petite vie en famille serait d'un ennui insupportable.

Les conditions qui influent sur le choix d'un mode de vie délinquant

Ce choix de vie n'est ni tout à fait libre ni tout à fait contraint : des conditions vont rendre chacune des options plus ou moins disponible, difficile, attrayante. Ces conditions tiennent d'abord au contexte éducatif, social, pénal et économique dans lequel se trouve l'acteur. Elles dépendent aussi de ses ressources personnelles et de ses handicaps. Quatre conditions vont rendre le style de vie délinquant plus ou moins attrayant et accessible.

1. *Le milieu criminel* — Selon le voisinage dans lequel vit un jeune homme, il aura plus ou moins d'occasions de rencontrer des délinquants et de s'en faire des amis. S'il vit dans un quartier mal famé, il croisera, sans les chercher, voyous, petits voleurs, revendeurs, prostituées et receleurs. Il passera régulièrement devant des bars louches, des restaurants mal fréquentés, des clubs de danseuses nues, des « piqueries », des commerces où on achète et vend des objets volés, des halls d'immeuble solidement tenus par une bande. Dans ces lieux et territoires, l'option délinquante promet plaisirs et gains

illicites doublés d'une protection contre la réprobation et la répression. Si, au contraire, il habite dans un quartier paisible de la même ville, il ne sera pas exposé à de telles sollicitations.

2. *L'encadrement éducatif* — Les parents des délinquants — toutes les recherches sur la surveillance parentale l'attestent — ont tendance à laisser sortir leur enfant tant qu'il en a envie ; ils ne savent pas ce qu'il fait quand il sort ni qui il fréquente ; ils n'organisent pas ses loisirs. En revanche, la plupart des parents de non-délinquants contrôlent les activités et fréquentations de leur enfant. Ils n'acceptent pas que leur fils sorte trop souvent et qu'il rentre trop tard. Ils le découragent de fréquenter tel camarade peu recommandable. Les enfants et les adolescents qui passent beaucoup de temps sous le regard d'adultes, et dont les parents se tiennent informés sur leurs amis, fréquentent rarement des délinquants. Ce fait ressort nettement d'une analyse des réponses à des questions posées à un important échantillon de parents et d'adolescents américains (Warr 2005). On trouve dans cette recherche la démonstration que les enfants et les adolescents qui ont des amis délinquants, premièrement, passent beaucoup de temps hors de la surveillance d'adultes durant les après-midi et les soirées de la fin de semaine ; deuxièmement, admettent que leurs parents ne savent pas qui ils fréquentent quand ils sont hors de la maison. Bref les parents consciencieux et vigilants prennent leurs dispositions pour que l'option délinquante ne se présente même pas à l'esprit de leur garçon.

3. *Le régime des sanctions* — Il est des familles et des écoles où les vols et les agressions ne sont ni réprouvés ni punis : les parents restent dans l'ignorance des incartades de leurs rejetons ; les enseignants n'osent sévir ; les pairs sont de connivence ; la police se frappe à un mur de silence.

4. *L'abondance des cibles* — Plus les voleurs ont un accès facile à des biens ou à de l'argent, plus les bénéfices de la délinquance seront élevés. Les jeunes qui vivent à proximité d'un centre-ville ou qui peuvent s'y rendre facilement ont accès à un grand nombre d'objets intéressants et exposés au vol. De ce point de vue, la richesse — celle qui s'étale et s'expose sans protection — est criminogène. Dans un milieu où des cibles tentantes et vulnérables passent régulièrement sous le nez des voleurs potentiels, l'option délinquante paraîtra plus attrayante qu'ailleurs.

Cependant, un acteur social ne pourra se faire une idée complète et juste des avantages et des inconvénients de l'option délinquante que s'il la compare à l'autre alternative. Une vie festive et déviante paraîtra sans intérêt à un jeune qui se passionne pour ses études ou qui a un emploi intéressant et bien rémunéré. L'accès à des études prometteuses et à un emploi valable dépendra des ressources personnelles de l'acteur et de ce que lui offre le marché du travail.

5. *C'est la compétence académique, sociale et professionnelle de l'individu* qui, comme chacun sait, lui permet d'espérer poursuivre les études de son choix et décrocher l'emploi auquel il aspire. Si le style de vie délinquant paraît si séduisant à certains, c'est que l'autre avenir leur paraît bouché. Et il l'est parce qu'ils sont dépourvus de capital académique, social et professionnel. Les chances de réussite dans les études ou au travail sont précaires pour l'individu dépourvu de diplôme, de contacts, d'expérience professionnelle et de savoir-faire.

6. *Le marché de l'emploi* — Les délinquants ne sont pas tous chômeurs, mais ils le sont un peu plus souvent que les non-délinquants. En France, le taux de chômage des 15-24 ans et la médiocrité des salaires les plus bas s'accompagnent, toutes choses égales par ailleurs, de niveaux élevés des délits contre les biens (Fougère

Figure 1 : *La vie choisie*

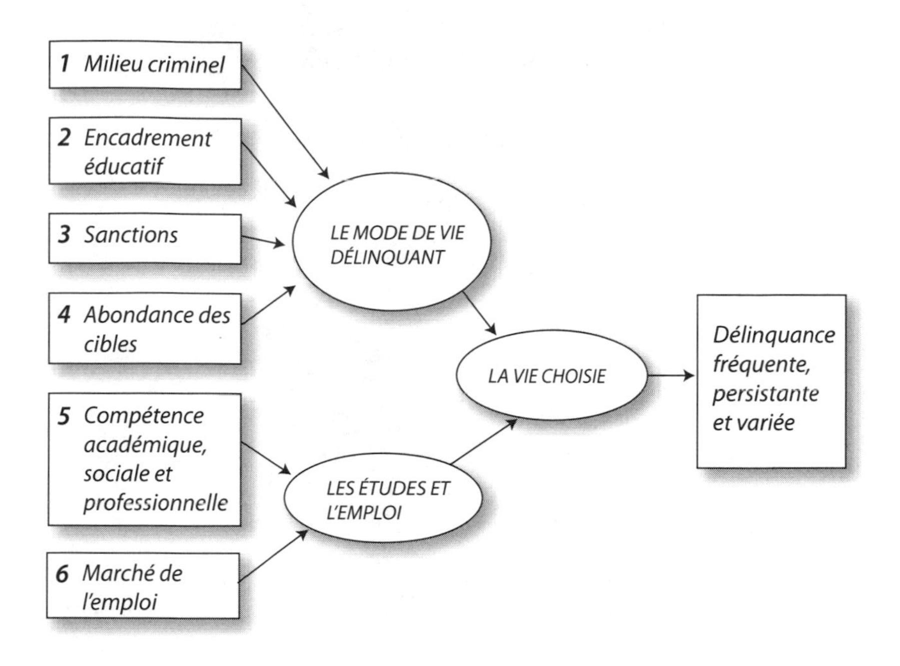

et coll. 2004). Les bénéfices d'une vie rangée paraîtront dignes de considération dans un environnement économique offrant aux travailleurs non qualifiés de bonnes chances de se trouver un emploi plutôt bien payé. Inversement, la solution délinquante apparaîtra, en comparaison, attrayante là où les rares emplois offerts sont mal rémunérés.

Récapitulation

Un mode de vie délinquant a tendance à être préféré par un jeune homme qui :

- est exposé à la séduction des gains et des plaisirs offerts par la pègre ;
- échappe au contrôle parental ;
- voit ses incartades rarement sanctionnées ;

- est alléché par des cibles abondantes et vulnérables ;
- est dépourvu de capital scolaire, social et professionnel ;
- fait face à un marché du travail déprimé.

La figure 1 illustre ce système de relations.

CHAPITRE 12

Prédire, prévenir et réprimer

Comment attaquer le problème posé par les délinquants actifs ? Existe-t-il des solutions offrant des chances raisonnables de faire reculer la fréquence, la persistance et la gravité de leurs infractions ? Dans ce dernier chapitre, je dégage les conséquences pratiques des faits rassemblés dans ce livre. Il en ressort qu'il n'existe pas de « cause » spécifique de la délinquance persistante : ni gène du crime, ni pulsion criminelle, ni rien de semblable. À l'origine de la plupart des délits et crimes, nous trouvons des parents faibles et inattentifs, des gains faciles et rapides, des sanctions incertaines, les plaisirs et la fête, le mépris de l'avenir, des bandes de copains peu scrupuleux. Ces conditions, situations, réactions et fréquentations n'ont rien d'exceptionnel et ne sont pas propres aux délinquants. De nombreux jeunes gens les ont rencontrées sans verser dans le crime pour autant. Elles ne conditionnent pas, n'agissent pas de manière contraignante. Cependant, elles font de la délinquance une activité payante, facile et peu risquée.

Une politique de lutte contre la délinquance devrait porter sur toutes ces conditions. Il est donc illusoire de croire que nous la ferons reculer en agissant sur une cause unique ou en ne ciblant qu'une minorité. Il faut plutôt envisager une stratégie tous azimuts combinant un large éventail d'actions, certaines visant la population en général, d'autres, le petit nombre de sujets à risque. Il importe aussi de se fixer plusieurs objectifs : améliorer l'éducation pour tous et pour les enfants les plus vulnérables ; renverser le rapport coûts-bénéfices quand il est à l'avantage de la transgression et du style de vie délinquant ; neutraliser l'influence criminogène des bandes et du Milieu ; mettre hors d'état de nuire les malfrats en pleine gloire criminelle ; aspirer au juste sans nuire à l'utile. Tout cela signifie qu'aucune mesure préventive ou répressive potentiellement efficace et respectueuse des lois ne devrait être retirée de l'arsenal des mesures de lutte contre le crime.

Les solutions plausibles au problème ainsi posé peuvent être regroupées sous trois rubriques. La première rassemble les actions présupposant une prédiction de la délinquance à venir et visant, soit à prévenir le développement de la propension à la délinquance, soit à mettre les délinquants dans l'incapacité de commettre de nouvelles infractions. La deuxième s'attache aux stratégies visant à réduire les gains de la délinquance et à atténuer la force d'attraction exercée par les bandes et le Milieu. Il y sera question de prévention situationnelle et de descentes de police. Sous la troisième rubrique, le lecteur trouvera une réflexion sur la peine. Pour quelles raisons s'impose-t-elle ? Comment punir de manière à la fois juste et utile ? Ces questions me conduiront à traiter de la dissuasion, de la proportionnalité, de la justice réparatrice et de la prison.

LA PRÉDICTION, LA PRÉVENTION DÉVELOPPEMENTALE ET LA NEUTRALISATION

Malgré leurs différences, la prévention développementale et la neutralisation sélective ont en commun de postuler une capacité de prédire. La première utilise des facteurs de risque pour identifier les enfants à propos desquels l'intervenant fait la prévision qu'ils pourraient s'incruster dans la délinquance. C'est sur ces enfants que portera une action préventive. La seconde a recours à des tables de prédiction afin de sélectionner des prisonniers qui présentent des risques élevés de récidive. Ces individus « dangereux » seront alors gardés en prison et les autres obtiendront une libération conditionnelle. Ce faisant, on espère que les premiers seront dans l'incapacité de commettre de nouveaux crimes tant qu'ils resteront entre quatre murs.

L'efficacité de la prévention développementale et celle de la neutralisation sélective sont loin d'être nulles, et les prévisions sur lesquelles chacune s'appuie réduisent l'incertitude. Cependant, l'une et l'autre se heurtent rapidement aux limites de nos capacités à prédire. Voyons d'abord les facteurs repérables dès l'enfance dont on tient compte en prévention développementale.

La prévention développementale et la prédiction précoce

C'est d'abord aux parents et autres éducateurs qu'il revient d'apprendre aux enfants ce qu'ils doivent assimiler pour n'être pas prédisposés à la délinquance. Un adolescent ne sera pas trop porté à recourir à des moyens violents ou malhonnêtes si ses éducateurs lui ont fait prendre conscience du caractère répréhensible de ses agissements et s'ils lui ont appris que les rapports fondés sur la réciprocité et le consentement sont plus avantageux que l'usage de la force ou de la ruse.

Dans la plupart des familles et des écoles, les adultes s'acquittent bien de cette mission. Pour la minorité restante, la prévention développementale est un recours. Celle-ci porte sur les sujets à risque, leur famille, leur milieu scolaire et leur groupe de pairs. Des groupes d'enfants sont choisis parce qu'ils risquent plus que d'autres de devenir des délinquants persistants. Des psychoéducateurs vont alors dans leur famille. Ayant obtenu l'accord des parents, ils travaillent à améliorer la compétence éducative de ces derniers, ils leur apprennent à observer les enfants, à réagir adéquatement, à gérer les crises. Ensuite, ils ouvrent des classes spécialement conçues pour soutenir le développement cognitif et social de l'enfant ; ils lui font acquérir la compétence interpersonnelle qui lui fait défaut. Les enfants apprennent alors l'art de vivre en paix avec leurs semblables et à se soumettre aux règles. Ils deviennent capables d'échanger, de persuader. Ils s'adaptent davantage à l'école et réussissent mieux. Ils développent leur capital social, cognitif et moral. Et, au bout du compte, ils sont moins nombreux à devenir délinquants que les enfants comparables non touchés par l'intervention (voir Tremblay et Craig 1995 ; Cusson 2002 et Lopez et Tzitzis 2004 : prévention développementale du crime et prévention psychosociale précoce). Des évaluations scientifiques comparant des groupes de sujets distribués aléatoirement ont démontré que les programmes de prévention développementale bien conçus et bien implantés empêchent de nombreux enfants traités de verser dans la délinquance juvénile et leur permettent d'obtenir de meilleurs résultats scolaires (voir Vitaro et Gagnon 2000).

Ces évaluations nous apprennent qu'il est possible d'identifier les enfants à risque et d'infléchir leur trajectoire, mais à quel degré de précision ces prévisions peuvent-elles prétendre ? La réponse des chercheurs est réservée. En effet, plusieurs enfants dont on dit qu'ils tourneront mal, en fait tournent bien. Et plusieurs autres deviennent de vrais chenapans, alors que les indicateurs donnaient à espérer qu'ils deviendraient des garçons sans histoire. La plus forte démonstration des limites de la prédiction nous vient de deux chercheurs américains : Laub et Sampson.

L'enfance n'est pas le destin de l'adulte

Dans un livre, couronné par le prix Hindelang de la Société américaine de criminologie, Laub et Sampson (2003) ont mené à bien une analyse très fouillée, quantitative et qualitative, des trajectoires des 500 jeunes délinquants étudiés par les Glueck durant les années 1940 et 1950. À la dernière phase de l'enquête, les sujets avaient atteint 70 ans. Ce livre qui embrasse toute la vie d'individus qui furent des délinquants avérés au cours de leur adolescence force à réviser à la baisse les espoirs mis dans la prédiction de la délinquance. Les auteurs annoncent la couleur dès le titre du livre : *Débuts communs, vies divergentes*. En effet, l'ouvrage apporte une solide démonstration du fait que les enfants dont la vie démarre sous les mêmes auspices peuvent devenir des adultes très différents les uns des autres. Les informations très complètes sur l'enfance de ces sujets (troubles de comportement, agressivité, impulsivité, quotient intellectuel, relations parents-enfants, mesures disciplinaires) prédisent, mais sans grande exactitude, la fréquence des infractions à l'âge adulte. Pire, elles prédisent encore plus mal les trajectoires de persistance ou d'abandon. Les typologies de délinquants construites en utilisant les informations datant de l'enfance n'entretiennent que des rapports ténus avec les trajectoires de la délinquance adulte. Après plusieurs tentatives, utilisant les meilleures méthodes statistiques, Laub et Sampson se résignent à s'avouer incapables de repérer des catégories de délinquants qui présenteraient des étiologies et des trajectoires distinctives. Ils n'arrivent pas à découvrir un seul type d'enfant dont la délinquance adulte évoluerait de manière différente de celle d'un autre type d'enfant.

L'échec de cette tentative de distinguer des types délinquants n'est que la dernière d'une longue série. Depuis le XIXe siècle, des centaines de typologies de délinquants et criminels ont été mises de l'avant, la nouvelle chassant l'ancienne. Si aucune ne s'est imposée, c'est que, parmi les contrevenants, il n'existe pas de types comme les naturalistes en ont trouvé dans les règnes végétal et animal. Les catégories de délinquants ou de criminels que les criminologues croient avoir découvertes ne correspondent à rien d'autre qu'à des différences subtiles et instables entre des individus, à des nuances qui apparaissent et disparaissent d'une année à l'autre. Sachant cela, les termes psychopathe, délinquant dangereux, criminel violent induisent en erreur. Les individus sur qui sont collées ces étiquettes sont, pour la plupart, des délinquants polyvalents qui cesseront de commettre des crimes un jour ou l'autre. De telles appellations sont trop chargées ; elles donnent trop à penser et à anticiper.

Le déterminisme de l'enfance, c'est-à-dire l'idée voulant que les premières années fixent de manière irrévocable le cours de la vie, est une autre idée dont la fausseté a notamment été démontrée par Laub et Sampson. Les aléas de la vie adulte, ses succès et échecs, ses rencontres, exercent une influence éclipsant celle de l'enfance. Et plus une personne avance en âge, plus il est difficile de prédire ce qu'elle fera à partir d'informations datées de son jeune âge. Les conditions actuelles de l'action — le genre de vie de l'acteur, ses fréquentations et les situations dans lesquelles il se trouve plongé — pèsent sur ses choix d'un poids autrement plus lourd que les rémanences de son enfance. Si les facteurs de risque précoces ne valent pas cher pour prédire le devenir de l'adulte, c'est que ce dernier se détermine davantage en tenant compte des données contemporaines à sa décision qu'en se laissant téléguider par son lointain passé. Cela ne disqualifie pas la prévention développementale — son efficacité est avérée —, mais en souligne les limites.

La dangerosité et la neutralisation

En admettant l'incertitude des prédictions remontant à l'enfance, ne serait-il pas possible de prédire la récidive d'adultes à partir de données plus récentes ? Si oui, l'incarcération durable des criminels ayant toutes les chances de récidiver devrait être sérieusement envisagée. C'est ce que préconisaient les positivistes dans leur politique de défense sociale fondée sur l'état dangereux. Et c'est ce qui se fait au Canada dans les services de libération conditionnelle.

Il est vrai que les conduites et caractéristiques d'un adulte prédisent mieux sa récidive que les données sur son enfance. Les meilleurs résultats sont obtenus en recourant à des « tables de prédiction ». Ces instruments combinent une série de « prédicteurs » objectifs. Ceux qui font grimper la probabilité de récidive sont les suivants :

- être plutôt jeune ;
- avoir des antécédents criminels chargés ;
- être de sexe masculin ;
- fréquenter des délinquants ;
- être toxicomane ;
- changer souvent d'emploi.

(Gabor 1986 ; Glaser 1987 ; Gendreau et coll. 1996 ; Bonta et coll. 1996 ; Lopez et Tzitzis 2004 : récidive)

À l'aide de ces informations, il est possible de classer un échantillon de détenus en catégories dont les probabilités de récidive générale varieront, en gros, de 10 % à 75 %. Cependant, la moitié de cet échantillon présentera des probabilités de 40 % à 60 %. Ces prédictions dites actuarielles sont reconnues comme supérieures aux prédictions cliniques. Mais leurs limites n'en sont pas moins évidentes. Quand un juge demande à un criminologue si un tel récidivera, tout ce que ce dernier peut répondre, c'est qu'il appartient au groupe de détenus présentant un risque de récidive, disons, de 40 %. Il ne sait pas si, deux ans plus tard, cet individu se retrouvera parmi les 60 % de son groupe qui ne récidiveront pas ou dans les 40 % qui récidiveront. Pire, il ignore pratiquement tout de la gravité du crime qu'il pourrait commettre. Car plus un crime est grave, moins il est prévisible. Cela vaut tout particulièrement en matière d'homicide.

En effet, la plupart des homicides résultent d'un conflit qui a dégénéré. C'est le cas des crimes passionnels, des homicides querelleurs et de nombreux règlements de comptes. Ces crimes commencent par une dispute et sont suivis d'échanges de plus en plus hostiles. Or, dans de tels affrontements, les réactions de l'un au geste posé par l'autre sont radicalement imprévisibles. Si l'un fait mine d'attaquer, l'autre pourrait soit fuir, soit contre-attaquer. Et il se pourrait que les spectateurs de l'affrontement décident, soit de calmer le jeu, soit, au contraire, de jeter de l'huile sur le feu. À l'heure de vérité, les adversaires se surprennent quelquefois eux-mêmes. L'un, qui se croyait un foudre de guerre, détale ; l'autre se découvre un courage insoupçonné. Un homicide, loin d'être l'actualisation automatique d'une dangerosité connue d'avance, est le fruit amer d'une interaction dont le déroulement est plein d'aléas. Ainsi conçue, la violence découle de rencontres fortuites et de basculements inattendus. Elle est interactive et situationnelle. Qui aura l'outrecuidance de prétendre la prédire par l'examen d'un seul des protagonistes ? Au-delà d'une limite rapidement atteinte, la prédiction de la récidive ressemble à la consultation d'une boule de cristal et l'expert autodéclaré qui se dirait capable de prévoir le viol ou le meurtre serait un fumiste. Il suit que fonder, comme nous le faisons trop souvent au Canada, les libérations conditionnelles sur la prédiction de la dangerosité, c'est sacrifier la justice à un miroir aux alouettes.

Est-ce à dire que toute politique de neutralisation serait nulle et non avenue ? Non. Dans les faits, les délinquants suractifs sont neutralisés tant qu'ils restent en prison. Cependant, la durée de leur peine ne devrait pas être fixée en se reposant sur d'aléatoires prévisions, mais en tenant compte de la gravité de l'infraction dont ils sont trouvés coupables et de l'importance de leurs antécédents judiciaires.

Faire contrepoids aux séductions de la délinquance

La politique criminelle a trop longtemps négligé les bénéfices et les plaisirs que la délinquance procure à ses auteurs. Les délinquants invétérés aiment faire la fiesta nuit après nuit. Ils adorent l'euphorie que la drogue leur procure. Ils gagnent, grâce à leurs activités illégales, des sommes qui feraient envie à bien des travailleurs. Avant de payer le prix de leurs méfaits, cela prend des mois, parfois même des années. Tant que les plaisirs et les bénéfices de cette vie choisie dépasseront ses coûts, pour quelle raison voudraient-ils changer ? Qui croit sérieusement que nous pouvons les détourner du crime par des médecines douces ?

Toutes les actions préventives et répressives visant à rendre les délits et crimes moins profitables, plus difficiles et plus risqués contribuent à rendre la délinquance moins attrayante. Un moyen évident d'annuler le bénéfice obtenu par le crime, c'est la sanction proportionnée à sa gravité. Mais, en amont, il faudrait éviter d'exposer trop de cibles intéressantes. C'est en agissant sur les situations précriminelles qu'on y parvient.

La prévention situationnelle

Ce que gagne un voleur est fonction du nombre, de la valeur et de la vulnérabilité des biens qu'il tente de voler. Les mesures de prévention situationnelle limitent les gains criminels en rendant les délits plus difficiles, plus risqués ou moins profitables : gardes de sécurité dans les lieux exposés, télésurveillance, antivol dans les autos, marquage des pièces de voiture, contrôle des entrées et sorties, contrôle des armes... S'il est vrai que l'occasion fait l'intention, en évitant d'en offrir de trop belles, nous réduisons les gains et nous augmentons les coûts de la délinquance.

Les nombreux succès de projets de prévention réalisés dans cet esprit administrent de manière répétée la démonstration expérimentale de la validité des hypothèses situationnelles (Clarke dir. 1997; Cusson 2002; Eck 2002). Il est indiscutable que nous réussissons à faire baisser la fréquence des délits en agissant sur les situations précriminelles.

Dans nos sociétés changeantes, riches et ouvertes, de nouvelles brèches se creusent de temps à autre dans nos protections contre le vol (Killias 2001 ; Roché 2002). Résultats : établissements survictimisés, écoles où sévit le taxage, épidémies de hold-up, de vols d'autos... Ces brèches doivent être colmatées au fur et à mesure qu'elles sont repérées. Une fois le problème identifié, il est analysé et l'on cherche des solutions taillées sur mesure pour le résoudre (voir Cusson et coll. 1994 ; Clarke et Eck, 2003, sur les méthodes d'analyse et de résolution stratégique des problèmes criminels).

S'il est vrai que les pouvoirs publics ont leur mot à dire dans la prévention situationnelle, celle-ci est d'abord l'affaire de la société civile : les particuliers, les entreprises, le marché. La victime potentielle est la première intéressée à se protéger. Vient ensuite le « garant des lieux » sur lequel insistent Felson (2002) et Roché (2002). Ces auteurs entendent par-là le responsable du bon ordre dans un espace délimité : concierge, gérant d'immeuble, réceptionniste, propriétaire d'un bar... Ces garants peuvent apporter une contribution significative à la prévention dans les lieux qui leur sont confiés, parce qu'ils sont bien placés pour détecter rapidement les délits, en comprendre les raisons et apporter des correctifs.

Les personnes œuvrant en sécurité privée sont, pour plusieurs, de véritables professionnels de la prévention situationnelle, et elles le deviendront de plus en plus au fur et à mesure que leur formation s'améliorera. Ces spécialistes préviennent de très nombreux délits en aménagement la surveillance des espaces, en contrôlant les accès et en installant des dispositifs de sécurité de plus en plus sophistiqués.

Cependant la prévention ne peut suffire, car elle se heurte à une limite de taille : la liberté. En effet, un dispositif de prévention sans faille à l'échelle de toute la société supposerait une obsession maniaque pour la sécurité, une surveillance panoptique de tout et de tous, une généralisation des contrôles en tous genres, une multiplication des portes blindées, des clôtures et autres entraves à la libre circulation des personnes et des biens. Une telle utopie serait rejetée avec horreur par quiconque est attaché à la liberté, et c'est sans compter les effets pervers que son application ne manquerait d'engendrer. Étant donné qu'elle n'est ni réalisable ni souhaitable, d'innombrables délits et crimes continueront de passer au travers des filets de la prévention et des jeunes gens entameront leur carrière criminelle. La répression continuera donc de s'imposer pour dissuader, pour neutraliser et pour rendre justice.

Les raids policiers

Les brusques frappes policières sur un problème criminel circonscrit ne datent pas d'hier, comme en témoigne l'ancienneté des termes qui les nomment : descente de police, rafle, raid, coup de filet, opération coup-de-poing. Dans les siècles passés, la police y eut recours pour démanteler des bandes de brigands, lutter contre une mafia, prendre d'assaut un repaire. De telles descentes apparaissent comme une réponse naturelle quand le nombre et la gravité des crimes perpétrés par les membres d'une organisation criminelle atteignent un niveau insupportable.

Ces opérations ponctuelles sont tout particulièrement indiquées pour démanteler une association de malfaiteurs. Les truands gagnent en efficacité et en dangerosité dès lors qu'ils peuvent se réunir à loisir, sanctuariser leur repaire et comploter. Pour assurer leur sécurité, ils vont alors imposer la loi du silence et opprimer leur entourage. Quand une bande fortifie son refuge et prend le contrôle d'un voisinage, un raid policier peut l'affaiblir. Une rafle peut aussi réduire un point chaud du crime.

Ces raids forcent les malfaiteurs à se rendre à l'évidence que leurs risques viennent d'augmenter notablement et soudainement. Nous avons vu que la probabilité de la peine en matière de délits contre les biens est très basse. La faire augmenter sensiblement sur un vaste territoire paraît irréaliste. En revanche, il est possible de la faire grimper de manière perceptible en concentrant les efforts sur un point précis. La police ne peut rater son effet dissuasif si elle réussit à y multiplier les chances d'arrestation. Par la même occasion, elle pourrait parvenir à désorganiser une bande et à lui faire perdre la sécurité de son repaire.

L'efficacité d'une brusque intensification des patrouilles dans un lieu hautement criminalisé est avérée :

dans les 9 opérations évaluées, la criminalité ciblée a chaque fois baissé (Sherman et Eck 2002 : 308 ; Brodeur 2003 : 220). L'opération réalisée à Jersey City mérite une mention spéciale. Dans chacun des points chauds visés par l'intervention, les policiers avaient imaginé, une fois leur diagnostic posé, un dosage approprié de mesures de prévention situationnelle accompagnées de la répression des incivilités et des infractions contre la personne. Le résultat fut au rendez-vous : dans les 12 points chauds choisis au hasard pour faire l'objet d'une combinaison d'interventions adaptées, la criminalité avait baissé nettement plus que dans les lieux comparables dans lesquels la routine policière habituelle prévalait (Braga et coll. 1999 ; Cusson 2002 : 171-174).

Les effets des rafles contre les marchés de drogue sont souvent décevants. Sur les 10 opérations qu'ils ont recensées, Sherman et Eck (2002) comptent 5 échecs et 3 succès plutôt mitigés. De plus, ces coups de filet ne font pas monter le prix des drogues comme leurs promoteurs l'espéraient.

Cependant, l'évaluation d'une opération coup-de-poing très bien préparée contre un marché de drogue de Montréal montre qu'il est possible d'y faire reculer la criminalité. Cette analyse d'impact d'un coup de filet mené par la police en septembre 1989 contre un marché de crack de Cartierville mérite le détour (La Penna 1998 ; La Penna, Tremblay et Charest 2004).

Quelques mois auparavant, en mars et avril 1989, les policiers de ce quartier de Montréal constatent que la criminalité y a brusquement augmenté. Ils sont convaincus que le problème est lié à l'apparition, dans ce secteur, d'un marché de crack. Ils décident de frapper un grand coup. Les préparatifs durent quelques mois. Les renseignements accumulés permettent d'apprendre que la vente et la consommation se font dans une quinzaine d'appartements et que d'autres logements sont utilisés pour y cacher la drogue et l'argent. Les trafiquants repérés sont suivis et photographiés. Des agents doubles leur achètent du crack pour établir la preuve de l'infraction et demander au juge un mandat d'arrestation. Un procureur de la couronne est spécialement affecté à l'opération. Le plan d'action sur lequel on s'arrête consiste à sécuriser le périmètre, puis à pénétrer dans les appartements pour perquisitionner, arrêter les revendeurs, saisir la drogue et les armes. Le coup de filet lui-même donne lieu à un vaste déploiement de moyens réunissant une équipe de 140 hommes : officiers, enquêteurs, agents doubles, agents de l'escouade anti-émeute et du SWAT, patrouilleurs en tenue, sans compter les renforts de la Sûreté du Québec. L'opération est déclenchée le 21 septembre 1989, donnant lieu à 23 arrestations.

Il s'ensuit une baisse significative et durable de l'ensemble des délits contre les biens et les personnes. Le niveau de la criminalité redescend à son niveau « normal », c'est-à-dire à celui d'avant la hausse de mars-avril attribuable au développement du trafic de crack. Pour autant, le trafic de la drogue ne fut pas éradiqué du quartier. Seulement, il se fit plus discret et cessa de s'accompagner d'un grand nombre de délits contre les biens et les personnes.

Les évaluations des raids policiers nous apprennent qu'ils sont conditionnellement efficaces ; ils n'atteignent leur but que si leurs initiateurs réunissent quelques conditions contraignantes. J'en vois cinq.

1. Un coup de filet réussi s'attaque à un problème qui préoccupe le public ou les autorités. C'est parce que le problème est jugé grave qu'il est possible de mobiliser les ressources sans lesquelles le raid n'est qu'une opération de relations publiques.

2. Une descente ne peut atteindre son but sans planification. Il est indispensable de réunir des renseignements sur la nature et la fréquence des infractions, sur leurs circonstances, leurs auteurs, la bande, son repaire, son terrain d'action, les victimes... Le plan d'attaque doit être rigoureusement adapté au terrain et aux particularités du problème criminel visé. Enfin, il faut prévoir la répartition des tâches et la coordination des forces.

3. Une intensification marquée, soudaine et temporaire des moyens d'action, cela fait partie de la définition même des descentes de police. On frappe au jour J avec une supériorité écrasante pour frapper les imaginations, briser toute résistance et exclure toute possibilité de fuite. Cela exige une concentration des forces dans l'espace et dans le temps. La direction du service de police qui lance de tels coups de filet accepte donc de dégarnir temporairement d'autres fronts pour faire converger une force d'intervention importante vers la cible du raid.

4. À la longue, l'efficacité d'une rafle s'estompe. Il est donc inutile de la prolonger indûment. Sa durée optimale n'est pas connue. Sans doute varie-t-elle. Un raid contre un repaire peut durer un jour ou deux, et contre un point chaud, quelques semaines.

5. L'effet de surprise est souvent un gage de succès. Il paraît donc nécessaire que la préparation du raid soit tenue secrète. Et il est déconseillé d'augmenter progressivement la pression policière avant le déclenchement de l'opération. En revanche, une fois déclenchée, une publicité donnée à l'opération pourra amplifier son effet.

POURQUOI ET COMMENT PUNIR ?

Pourquoi, partout et de tout temps, les criminels ont-ils eu à répondre de leurs actes en subissant une peine publique ou privée ? J'ai traité plus haut de deux fonctions de la peine : elle empêche que l'activité criminelle n'apparaisse comme une entreprise tout bénéfice et sert à mettre hors d'état de nuire des délinquants très actifs. Il est une autre catégorie de réponse à la question « Pourquoi punir ? » (Cusson 1987). La peine s'impose pour que justice soit rendue. Nous nous objectons tous à l'iniquité, à la punition des innocents, à l'impunité accordée aux grands coupables et aux peines sans commune mesure avec la gravité des infractions. La justice nous apparaît comme une valeur en soi. Et le sentiment de justice est une motivation — peut-être la première — du respect de la loi. Nous nous refusons à voler ou à tuer notre prochain, parce que ce serait le traiter injustement, parce que nous ne voulons pas lui faire subir un tort immérité. Dans une société pas trop injuste, les citoyens voudront respecter les préceptes de la justice parce que la plupart du temps, la majorité des gens, incluant les délinquants, y sont traités équitablement.

S'il est impossible de faire l'économie de la peine, comment concilier les exigences de la modération, de la justice et de l'efficacité ?

À propos de l'intimidation, de la réhabilitation et de l'injustice

Les individus portés au crime ne sont pas insensibles à la perspective de la peine. Ils s'abstiennent de passer à l'acte quand leurs risques d'être punis sont excessifs. Mais ils spéculent, et avec raison, sur leurs chances d'échapper à la peine (chapitres 4 et 6). Les premières peines dont on les frappe — en général, tardivement — ne suffisent pas toujours à leur faire réviser leurs positions : ils récidivent. Mais sous l'accumulation et l'aggravation des peines, plusieurs finissent par calculer que le jeu n'en vaut plus la chandelle (chapitre 10). Il est donc utile de maintenir la pression dissuasive sur les délinquants.

Les recherches sur l'efficacité des mesures correctionnelles montrent que les programmes de formation scolaire et de développement des compétences psychosociales font baisser les risques de récidive (Andrew et coll. 1990 ; Mackenzie 2002 ; Lopez et Tzitzis 2004 : efficacité des mesures pénales et réadaptation). Les séjours en prison devraient donc être aménagés pour offrir aux détenus ces moyens de croître et de s'améliorer.

Il arrive qu'une peine soit ressentie par celui qui la subit comme une intolérable injustice et qu'elle le pousse à aggraver son cas (chapitre 9). Ce n'est pas une raison pour renoncer à punir, mais pour nous approcher au plus près de l'idéal de justice, et cela inclut des peines proportionnées à la gravité des infractions.

À propos de la sévérité et de la proportionnalité

Aux États-Unis, un allongement marqué des incarcérations ne fait pas bouger les taux de criminalité (Doob et Webster 2003). Ainsi, dans les États ayant voté des lois fixant de très longues peines de prison aux accusés condamnés une troisième fois pour violence, la criminalité n'a pas baissé, ou pas davantage que dans les États n'ayant pas voté de telles lois. Les propos de Montesquieu et de Beccaria trouvent ici une nouvelle confirmation : les peines modérées produisent autant d'effet que les peines cruelles.

Cela se comprend. Quand un braqueur hésite devant une banque, il ne se demande pas si, au cas improbable où il se ferait prendre, le juge le condamnera à deux ou cinq ans. Il se pose des questions autrement urgentes :

Y a-t-il un gardien armé dans la place ? Combien de temps la police prendra-t-elle pour arriver ? La voie pour fuir sera-t-elle libre ?

À ce moment-là, la sévérité n'est pas une considération prioritaire.

À la réflexion, ce n'est pas en termes de sévérité qu'il faut raisonner, mais de proportionnalité. En effet, il est impossible d'éviter toute forme de rigueur, non parce que la sévérité serait souhaitable en elle-même, mais parce qu'une commune mesure entre la sévérité des peines et la gravité des infractions est nécessaire. La proportionnalité est essentielle pour quatre raisons.

Premièrement, des peines douces à l'endroit des individus qui réalisent des gains criminels importants ne suffiraient pas à annuler leurs profits et laisseraient les coupables ainsi punis avec un solde criminel positif.

Deuxièmement, un régime de clémence pour les violeurs et les meurtriers apparaîtrait scandaleusement injuste aux électeurs et serait politiquement fatal au parti politique qui le proposerait.

Troisièmement, des peines proportionnées contribuent à la rareté des crimes graves en canalisant les délinquants vers des délits peu ou modérément graves. Bentham (1802) avait défendu cette solution en ces termes : « Si deux délits viennent en concurrence, le plus nuisible doit être soumis à une peine plus forte afin que le délinquant ait un motif pour s'arrêter au moindre » (p. 269). Sachant que les meurtres sont durement châtiés, les malfaiteurs ne s'y frottent pas, sauf dérapage incontrôlé.

Quatrièmement, des peines proportionnées tiennent vivante et agissante la notion de gravité.

Bref, si la sévérité est un leurre, la proportionnalité répond à d'impérieuses exigences de justice et d'efficacité.

La justice réparatrice et la régulation graduée

Tel qu'il fonctionne actuellement, le système pénal ne sanctionne pas, ou symboliquement, la plupart des délits de gravité moyenne ou faible : leurs auteurs sont rarement découverts et, quand ils le sont, l'affaire se solde le plus souvent par un abandon des poursuites, une admonestation, un sursis, ou une mesure de probation. Comme les infractions peu graves sont de loin les plus nombreuses, nous laissons très souvent au délinquant une large marge bénéficiaire, même quand il se fait épingler. Cette marge pourrait être réduite par un recours plus systématique aux peines intermédiaires. J'entends par là les sanctions se situant entre les peines symboliques ou légères et la prison. On y trouverait les amendes importantes, les mesures réparatrices, les travaux communautaires (ou d'intérêt général) et les assignations à domicile assorties de surveillance électronique.

Les mesures de réparation des torts causés à la victime devraient occuper une place de choix dans la panoplie des peines intermédiaires. Car elles servent mieux que les autres l'idéal de justice : la réparation, lorsqu'elle est possible, rétablit la situation antérieure au crime. Elle offre de bonnes chances d'apparaître juste aux yeux du coupable et de la victime. Ainsi conçue, la réparation renoue avec cette antique notion de justice illustrée par la maxime : « Rendre à chacun son dû ». En réparant son forfait, le coupable rend à sa victime ce qui lui revient. Justice pour la victime, justice pour le délinquant.

La régulation graduée ou progressive apparaît comme un principe valable. Il a été défendu avec conviction par Braithwaite (2002 : 30-35, 121). Les sanctions, dit-il, devraient être ajustées au degré de coopération du contrevenant à une première mesure, en principe réparatrice. Dans un premier temps, par exemple, le juge ordonne que tel dédommagement soit versé à la victime par le coupable. Si ce dernier ne s'exécute pas, le magistrat prescrit une mesure un peu plus contraignante, et ainsi de suite. L'escalade dépend de la coopération du délinquant. Elle s'arrête quand il obtempère. Ce système apparaît plus humain que ce qui se fait présentement. Trop souvent, le juge applique le tarif pénal que fixent la loi et la jurisprudence. Ou encore, il laisse le délinquant s'en tirer à bon compte à plusieurs reprises puis, sans crier gare, lui assène un châtiment qui sera ressenti comme une injustice. Si, changeant de politique, le juge adopte le principe de la régulation graduée, il envisage d'abord une peine réparatrice. Il s'assure ensuite que le justiciable s'acquitte bien de la réparation exigée, tout en étant résolu à recourir à une mesure plus contraignante en cas de non-coopération. De son côté, le contrevenant comprendra qu'il est dans son intérêt de s'exécuter, n'étant pas sans savoir que le juge dispose en réserve de mesures plus sévères.

Faut-il en finir avec la prison ?

La prison a fait l'objet de condamnations si fortes et si constantes que l'hypothèse de son abolition ne paraît pas farfelue. Mais que vaut le réquisitoire prononcé contre elle ?

Sommes-nous condamnés au pire ? Oppression, humiliations, abus de la part des gardiens, promiscuité, oisiveté, consommation de drogue et abus de médicaments, règne de la terreur parmi les détenus, viols, tels sont les termes dont on se sert pour décrire les conditions d'incarcération. Cela n'est pas faux, mais ne vaut pas pour toutes les prisons. Il existe aussi des lieux de réclusion dans lesquels ces abus et violences sont plutôt l'exception que la règle. Chauvinisme mis à part, c'est le cas des pénitenciers canadiens. De tels établissements témoignent du fait que le pire n'est pas inéluctable. Si être contre la prison, c'est s'opposer aux conditions indécentes qui prévalent dans maints établissements, qui n'est pas contre ? Mais faut-il en finir avec toutes les prisons, les meilleures comme les pires ? La question se pose, car même la prison convenable prête flanc à des critiques de fond.

N'est-elle pas l'école du crime ? Sans doute. Pendant leurs loisirs forcés, les détenus s'échangent trucs et ficelles. Les voleurs se racontent leurs exploits en les exagérant et en les embellissant. C'est aussi en prison qu'ils élargissent leur réseau de contacts. Pire, pendant leur incarcération, les prisonniers sont nombreux à chaparder, frauder, se bagarrer comme s'ils étaient en liberté. Ils volent, magouillent, arnaquent ou escroquent leurs codétenus, vendent ou achètent de la drogue, se battent à coups de couteau. « *Tu n'es jamais autant délinquant qu'en prison.* » (Kherfi et Le Goaziou 2000 ; voir aussi Chantraine 2004 : 220)

Mais quelle école médiocre ! École dont les élèves sont privés de professeur compétent et de manuel ; où ils ne font ni stages sur le terrain ni ne passent d'examen. École dépourvue de laboratoire, dans laquelle personne n'exige des élèves l'effort d'étudier, de lire, de s'exercer. Dans laquelle des perdants racontent des exploits, souvent fictifs, à des élèves qui en savent autant que leurs enseignants et refilent à leurs compagnons des trucs obsolètes. Curieuse école qui admet comme élèves des savants qui croient n'avoir rien à apprendre plutôt que des ignorants assoiffés de connaissances ! En effet, qui sont les élèves de l'école du crime ? Des individus qui, depuis cinq ou dix ans, pratiquent le métier de voleur avec assiduité. Car il faut garder à l'esprit que les hommes de 19 ou 20 ans qui franchissent les portes de nos prisons sont nombreux à avoir commencé leur carrière délinquante vers 12 ans. Au cours de leur adolescence, ils ont appris à cambrioler. Ils se sont faits des amis aussi voleurs qu'eux. Les techniques et les justifications du crime, ils les connaissent. Que leur reste-t-il à apprendre de nouveau pendant leur incarcération ?

Ne détruit-elle pas physiquement et moralement ? Il arrive en effet qu'à force d'oisiveté, de drogues et de neuroleptiques, des prisonniers se prennent à ressembler à des zombies. Qu'ils soient battus, violés. Qu'ils sombrent dans le désespoir et se suicident.

Mais cela se passe surtout dans les prisons mal tenues. Dans les autres, les prisonniers mangent mieux, dorment mieux et sont en meilleure santé que lorsqu'ils menaient, en liberté, leur vie de bâton de chaise, passant leurs nuits à consommer drogue et alcool, risquant la mort par overdose ou par meurtre. Arrivés en prison, ils font une pause, peuvent souffler, dormir, prendre trois repas par jour, se faire soigner, faire du sport, lire, étudier. Évoquant le propos d'un détenu qu'il a rencontré, Chantraine (2004 : 49) écrit ceci : « Quand il est arrivé à la maison d'arrêt, il pesait 45 kilos. Après 13 mois de détention, il en fait 70. » C'est en prison que Boudard, Lucas, Maurice et bien d'autres se sont mis à lire et sont devenus des écrivains. Il n'est pas exceptionnel qu'en prison, on se refasse une santé physique et intellectuelle.

Les détracteurs de la prison pourraient méditer la découverte de Sattar (2001). Ce chercheur du Home Office a eu l'idée de comparer les taux de mortalité des Britanniques qui purgeaient une peine en communauté (probation, libération conditionnelle) avec les taux des individus qui se trouvaient en prison en 1996 et 1997. Résultat : les individus purgeant une peine dans la communauté décèdent deux fois plus souvent que les prisonniers. Quand ils sont derrière les murs d'une prison, les délinquants meurent moins souvent d'accident (et pour cause) ; ils se suicident moins ; ils consomment moins d'alcool et de drogues et ils sont beaucoup moins victimes d'homicide que lorsqu'ils se retrouvent en liberté. Les prisons de sa Gracieuse Majesté gardent leurs hôtes en vie.

N'échoue-t-elle pas à endiguer la récidive ? Il est vrai que les peines carcérales ne parviennent pas mieux que tout autre peine à réduire les probabilités de récidive.

Il n'en reste pas moins que, toutes choses égales par ailleurs, la prison ne produit ni plus ni moins de récidives que les mesures non carcérales. Les démonstrations ne manquent pas. Analysant la récidive de 962 délinquants américains, Gottfredson (1999) a tenu constants les facteurs qui tendent à fausser les comparaisons entre des groupes de délinquants punis différemment, notamment les risques de récidive que présentaient les individus avant même qu'ils soient punis. Gottfredson constate alors que, 5 ans après la sentence, 55,1 % des sujets condamnés à une peine de prison sont de nouveau arrêtés. Du côté des délinquants n'ayant pas été incarcérés, le pourcentage est identique : 55 %. Le constat est semblable en Angleterre et au Pays de Galles. Les taux de récidive des ex-prisonniers et des individus ayant purgé une peine dans la communauté sont pratiquement identiques quand les chercheurs tiennent compte des caractéristiques des sujets comme le nombre de leurs condamnations antérieures. C'est ainsi qu'en 1996, 56 % des ex-prisonniers récidivaient, alors que chez les sujets comparables ayant purgé une peine dans la communauté, le taux de récidive était de 58 % (Kershaw, Goodman et White 1999). La règle générale, c'est que l'influence de la nature de la peine sur la récidive est quasiment nulle. Une méta-analyse menée par Smith, Goggin et Gendreau, en 2002, portant sur 31 études dans lesquelles on comparait les taux de récidive de sujets ayant purgé une peine de prison avec ceux des délinquants placés en probation ordinaire ou intensive, fournit une confirmation supplémentaire. Dans ces enquêtes, les échantillons étaient rendus comparables grâce à une répartition aléatoire des sujets ou en tenant constants les prédicteurs habituels de la récidive. Smith et ses collègues constatent, dans un premier temps, que l'incarcération est liée à une légère augmentation de la récidive, mais quand la taille de l'échantillon est pondérée, la différence entre la récidive des ex-détenus et celle des probationnaires tombe à zéro.

Somme toute, la prison n'est pas le croque-mitaine qui émeut les belles âmes. Mais si elle n'est pas plus efficace que les peines non carcérales pour faire reculer la récidive, pourquoi recourir à ce moyen si coûteux et si dur ? Inutile d'aller chercher bien loin. Elle paraît indispensable comme rempart ultime contre les crimes graves et les délinquants suractifs. Pouvons-nous sérieusement laisser en liberté les braqueurs, violeurs, meurtriers et malfaiteurs invétérés ? En les incarcérant, le juge contribue à la justice et à la sécurité de trois manières. Premièrement, il a recours à la seule rétribution actuellement disponible pour faire payer aux violeurs et aux meurtriers le prix de leur crime, celui qu'en toute justice ils méritent. Deuxièmement, en enfermant les délinquants suractifs, il protège le public par un effet que ne peuvent produire les autres peines : mettre temporairement hors d'état de nuire des individus lancés dans une course criminelle effrénée. Troisièmement, il ne dispose pas de langage aussi clair pour dire à tous — victimes, population et coupables eux-mêmes — la gravité des crimes graves et pour exprimer l'attachement de tous à des valeurs comme celles de la vie humaine et de la liberté, pour les femmes, de disposer de leur corps comme elles l'entendent.

Bibliographie

Alain, *Les Passions et la sagesse,* Paris, Gallimard, coll. « Bibliothèque de la Pléiade », 1960.

Andenaes, J. *Punishment and Deterrence,* Ann Arbor, The University of Michigan Press, 1974.

Andrew, D. A., T. Zinger, P. Gendreau et F. T. Cullen. « Does Correctional Treatment Work ? A Clinically-relevant and Psychologically-informed Meta-analysis », *Criminology,* vol. 28, 1990, p. 369-404.

Aristote. *Éthique à Nicomaque,* traduction par J. Voilquin, Paris, Garnier-Flammation, 1965.

Artières, P. *Drôle d'oiseau. Autobiographie d'un voyou à la Belle Époque* (texte de Nougier 1900), Paris, Imago, 1998.

Bachman, R., R. Paternoster et S. Ward. « The Rationality of Sexual Offending : Testing a Deterrence/Rational Choice Conception of Sexual Assault », *Law and Society Review,* vol. 26, 1992, p. 434-472.

Bennett, T. et R. Wright. *Burglars on Burglary : Prevention and the Offender.* Aldershot, Gower, 1983.

Bentham, J. *Traité de législation civile et pénale,* traduction par Étienne Dumont, Londres, Taylor et Francis, 1802 (réédition 1858).

Blais, E. *Une évaluation de la capacité des activités policières à dissuader la déviance routière et à prévenir les accidents de la route,* Thèse de doctorat, Faculté des études supérieures, École de criminologie, Université de Montréal, 2005.

Blais, E. et B. Dupont. « L'impact des activités policières dans la dissuasion des comportements routiers : une synthèse mondiale des évaluations », *Revue internationale de criminologie et de police technique et scientifique,* vol. 57, n° 4, 2004, p. 456-479.

Blumstein, A., J. Cohen, J. A. Roth et C. A. Visher, dir. *Criminal Careers and « Careers Criminal »,* vol. 1, Washington DC, National Academy Press, 1986.

BONTA, J., W. G. HARMAN, R. G. HANN et R. B. CORMIER. « The Prediction of Recidivism Among Federally Sentenced Offenders : A Re-validation of the SIR Scale », *Revue canadienne de criminologie*, vol. 38, 1996, p. 61-79.

BORN, M. *Psychologie de la délinquance,* Bruxelles, De Boeck, 2003.

BOUDARD, A. *Ma vie pleine de trous,* Paris, Plon, 1988.

________. *Les Grands criminels,* Paris, Le Pré aux Clercs, 1989.

BOUDON, R. « Action », dans R. Boudon, dir., *Traité de sociologie,* Paris, Presses universitaires de France, 1992, p. 21-55.

________. *Le Juste et le vrai*, Paris, Fayard, 1995.

________. *Le Sens des valeurs,* Paris, Presses universitaires de France, 1999.

________. *Raisons, bonnes raisons,* Paris, Presses universitaires de France, 2003.

BOUTIN, S. *La Carrière criminelle des agresseurs sexuels*, Mémoire de maîtrise, Faculté des études supérieures, École de criminologie, Université de Montréal, 1999.

________. et M. CUSSON. « L'homicide querelleur et vindicatif », dans J. Proulx, M. Cusson et M. Ouimet, dir. *Les Violences criminelles*, Québec, Presses de l'Université Laval, 1999, p. 91-106.

BOUVIER, F. *Analyse stratégique du taxage chez les adolescents*, Mémoire de maîtrise, Faculté des études supérieures, École de criminologie, Université de Montréal, 2001.

BRAGA, A., D. L. WEISBURD, E. J. WARING, L. G. MAZEROLLE et W. SPELMAN. « Problem-oriented Policing in Violent Crime Places : A Randomized Controlled Experiment », *Criminology*, vol. 37, n° 3, 1999, p. 541-580.

BRAITHWAITE, J. *Crime, Shame, and Reintegration,* Cambridge, Cambridge University Press, 1989.

________. *Restorative Justice and Responsive Regulation,* New York, Oxford University Press, 2002.

BROCHU, S. *Drogue et criminalité. Une question complexe,* Montréal, Presses de l'Université de Montréal, 1995.

BROCHU, S. et M.-M. COUSINEAU. « Drogues et questions criminelles, un état de la question à partir d'études québécoises », dans M. Le Blanc, D. Szabo et M. Ouimet, dir. *La Criminologie empirique au Québec,* 3e éd., Montréal, Presses de l'Université de Montréal, 2003.

BRODEUR, J-B. *Les Visages de la police,* Montréal, Presses de l'Université de Montréal, 2003.

BROIDY, L. M., R. E. TREMBLAY, B. BRAME, D. FERGUSSON, J. L. HORWOOD, R. LAIRD, T. E. MOFFITT, D. S. NAGIN, J. E. BATES, K. A. DODGE, R. LOEBER, D. R. LYNAM et G. S. PETTIT, « Developmental Trajectories of Childhood Disruptive Behavior and Adolescent Delinquency : A Six-Site, Cross-National Study », *Developmental Psychology*, vol. 39, n° 2, 2003, p. 222-245.

BUI TRONG, L. *Les Racines de la violence,* Paris, Audibert, 2003.

CAILLOIS, R. *Quatre essais de sociologie contemporaine,* Paris, Perrin, 1951.

———. *Les Jeux et les hommes,* Paris, Gallimard, 1958.

CARBONNEAU, R. « De la naissance à l'adolescence », dans M. Le Blanc, D. Szabo, et M. Ouimet, dir. *La Criminologie empirique au Québec*, 3e éd., Montréal, Presses de l'Université de Montréal, 2003.

CHANTRAINE, G. *Par-delà les murs,* Paris, Presses universitaires de France et Le Monde, 2004.

CHAREST, M. « Peut-on se fier aux délinquants pour estimer leurs gains criminels ? *Criminologie,* vol. 37, n° 2, 2004, p. 63-88.

———. *Réussites et échecs des trajectoires criminelles,* Thèse de doctorat, Faculté des études supérieures, École de criminologie, Université de Montréal, 2005.

CHEVALIER, L. *Montmartre du plaisir et du crime*, Paris, Robert Laffont, 1980.

CLARKE, R. V., dir. *Situational Crime Prevention. Successful Case Studies*, 2e éd., Guilderland, New York, Harrow and Heston, 1997.

CLARKE, R.V. et J. ECK. *Become a Problem-Solving Crime Analyst,* Londres, Jill Dando Institute of Crime Science, 2002.

CORDEAU, G. *Les Règlements de compte dans le milieu criminel québécois de 1970 à 1986,* Thèse de doctorat, Faculté des études supérieures, École de criminologie, Université de Montréal, 1990.

CORNISH, D. et R.V. CLARKE, dir. *The Reasoning Criminal,* New York, Springer-Verlag, 1986, p. 72-82.

CÔTÉ, G. et S. HODGINS. « Les troubles mentaux et le comportement criminel », dans M. Le Blanc, D. Szabo et M. Ouimet, dir. *La Criminologie empirique au Québec,* 3e éd., Montréal, Presses de l'Université de Montréal, 2003.

Cusson, M. *Délinquants pourquoi ?* Montréal/Paris, Hurtubise HMH/Armand Colin, 1981. (Réédition dans la Bibliothèque québécoise, 1989).

________. *Le Contrôle social du crime,* Paris, Presses universitaires de France, 1983.

Cusson, M. *Pourquoi punir ?* Paris, Dalloz, 1987.

________. *Criminologie actuelle,* Paris, Presses universitaires de France, 1998.

________. *Prévenir la délinquance. Les méthodes efficaces,* Paris, Presses universitaires de France, 2002.

________. *La Criminologie,* 4e éd., Paris, Hachette, 2005.

________, N. Beaulieu et F. Cusson. « Les homicides », dans M. Le Blanc, D. Szabo, et M. Ouimet, dir. *La Criminologie empirique au Québec,* 3e éd., Montréal, Presses de l'Université de Montréal, 2003.

Cusson, M. et G. Cordeau. « Le crime du point de vue de l'analyse stratégique », dans D. Szabo et M. Le Blanc. *Traité de criminologie empirique,* Montréal, Presses de l'Université de Montréal, 1994, p. 91-111.

Cusson, M. et P. Pinsonneault. « The Decision to Give up Crime », dans D. B. Cornish et R. Clarke, dir. *The Reasoning Criminal,* NewYork, Springer-Verlag, 1986, p. 72-82.

Cusson, M. et J. Proulx. « Les raisons du meurtre sexuel et la carrière criminelle du meurtrier », dans J. Proulx, M. Cusson, É. Beauregard et A. Nicole, dir. *Les Meurtriers sexuels,* Montréal, Presses de l'Université de Montréal, 2005.

Cusson, M., P. Tremblay, L.-L. Biron, M. Ouimet et R. Grandmaison. *La Planification et l'évaluation de projets en prévention du crime,* Québec, ministère de la Sécurité publique, 1994.

De Greeff, E. *Amour et crimes d'amour,* Bruxelles, C. Dessart, 1942 (1973).

________. *Introduction à la criminologie,* Paris, Presses universitaires de France, 1948.

________. « Criminogénèse », dans *Actes du IIe Congrès international de criminologie* (1950), Paris, Presses universitaires de France, 1955, p. 267-306.

DEBARBIEUX, É., dir. *L'Oppression quotidienne*, Paris, La Documentation française, 2002.

DIRECTION CENTRALE DE LA POLICE JUDICIAIRE. *Aspects de la criminalité et de la délinquance constatées en France en 2003 par les services de police et les unités de gendarmerie*, Paris, La Documentation française, 2004.

DOOB, A. N. et C. M. WEBSTER. « Sentence Severity and Crime : Accepting the Null Hypothesis », dans M. Tonry, ed., *Crime and Justice, A Review of Research*, Chicago, University of Chicago Press, vol. 30, 2003, p. 143-95.

DURKHEIM, É. *L'Éducation morale*, Paris, Presses universitaires de France, 1923 (1963).

ECK, J. E. « Preventing Crime at Places », dans L. Sherman, D. P. Farrington, B. C. Welsh et D. L. MacKenzie, eds. *Evidence-Based Crime Prevention*, Londres, Routledge, 2002.

ELLIOTT, D. S. « Serious Violent Offenders : Onset, Developmental Course, and Termination », *Criminology*, vol. 32, n° 1, 1994, p. 1-22.

ÉRASME. *Éloge de la folie*, Paris, Garnier/Flammarion, 1964 (1re édition : 1508).

FARRINGTON, D. P. « Human Development and Criminal Careers », dans M. Maguire, R. Morgan et R. Reiner, dir. *The Oxford Handbook of Criminology*, Oxford, Clarendon Press, 1994, p. 511-584.

———. « Human Development and Criminal Careers », dans M. Maguire, R. Morgan et R. Reiner, dir. *The Oxford Handbook Of Criminology*, 2e éd., Oxford, Clarendon Press, 1997.

———. « Key Results from the First Forty Years of the Cambridge Study in Delinquent Development », dans T. P. Thornberry et M. D. Krohn, dir. *Taking Stock of Delinquency*, New York, Kluwer and Plenum, 2003.

FELSON, M. *Crime and Everyday Life*, 3e éd., Thousand Oaks, California, Pine Forge Press, 2002.

———. « The Process of Co-Offending », dans M. J. Smith et D. Cornish, dir. *Theory for Practice in Situational Crime Prevention. Crime Prevention Studies*, Monsey, New York, Criminal Justice Press, 2003.

FERRY, L. *Qu'est-ce qu'une vie réussie ?* Paris, Grasset, 2002.

FLUET, C. *Le Problème criminel à Hochelaga-Maisonneuve*, Mémoire de maîtrise, Faculté des études supérieures, École de criminologie, Université de Montréal, 2000.

FOUGÈRE, D., F. KRAMARZ et J. POUGET. *L'Analyse économétrique de la délinquance : une synthèse des résultats récents*, Paris, communication présentée au séminaire de recherche de l'INSEE, 2004.

FRÉCHETTE, M. « Le criminel et l'autre », *Acta Criminologica*, 3, 1970, p. 11-102.

FRÉCHETTE, M. et M. LE BLANC. *Délinquances et délinquants*, Chicoutimi, Gaëtan Morin, 1987.

FREEMAN, R. B. « The Economics of Crime », dans O. Ashenfelter et D. Card, dir. *Handbook of Labor Economics*, Amsterdam, Elsevier Science, 1999, vol. 3c, p. 3529-3563.

GABOR, T. *The Prediction of Criminal Behaviour : Statistical Approaches*, Toronto, University of Toronto Press, 1986.

GAGNON, F. *La Gravité de la délinquance : mesure, évolution et prédiction*, Mémoire de maîtrise, Faculté des études supérieures, École de criminologie, Université de Montréal, 2004.

GAMBETTA, D. *The Sicilian Mafia : the Business of Private Protection*, Cambridge., Harvard University Press, 1992.

GASSIN, R. « La crise des politiques criminelles occidentales », dans F. Boulan et coll. *Problèmes actuels de science criminelle*, Aix-en-Provence, Presses universitaires d'Aix-Marseille, 1985.

________. *Criminologie*, 5e éd., Paris, Dalloz, 2003 (1re éd. 1988).

GENDREAU, P., T. LITTLE et C. GOGGIN. « A Meta-analysis of the Predictors of Adult Offender Recidivism : What Works ! », *Criminology*, vol. 34, nº 4, 1996, p. 575-607.

GIORDANO, P. C., S. A. CERNKOVICH et D. D. HOLLAND. « Changes in Friendship Relations Over the Life Course : Implications for Desistance from Crime, *Criminology*, vol. 41, nº 2, 2003, p. 293-328.

GIRARD, N. *Une vie en prison*, Mémoire de maîtrise, Faculté des études supérieures, École de criminologie, Université de Montréal, 2003.

GLASER, D. « Classification for Risk », dans D. M. Gottfredson et M. Tonry, dir. *Prediction and Classification*, vol. 9 : *Crime and Justice. A Review of Research*, Chicago, University of Chicago Press, 1987, p. 249-292.

Glueck, S. et E. *Unraveling Juvenile Delinquency,* Cambridge, Harvard University Press, 1950.

Gomez Del Prado, G. « L'intimidation exercée par les motards criminalisés sur les policiers du Québec », *Revue internationale de criminologie et de police technique et scientifique,* vol. 57, n° 2, 2004, p. 189-206.

Gordon, R. A., B. B. Lahey, E. Kawai, R. Loeber, M. Stouthamer-Loeber et D. P. Farrington. « Antisocial Behavior and Youth Gang Membership : Selection and socialization », *Criminology,* vol. 42, n° 1, 2004, p. 55-88.

Gottfredson, D. M. *Effects of Judges' Sentencing Decisions on Criminal Careers. Research in Brief,* Washington, DC, National Institute of Justice, U.S. Department of Justice, 1999.

Gottfredson, M. R. *Victims of Crime : The Dimensions of Risk,* Londres, H.M. Stationery Office, 1984.

Gottfredson, M. R. et T. Hirschi. *A General Theory of Crime,* Stanford, Stanford University Press, 1990.

Gould, R. V. *Collision of Wills,* Chicago, University of Chicago Press, 2003.

Grasmick, H. G. et R.J. Bursik, Jr. « Conscience, Significant Others, and Rational Choice : Extending the Deterrence Model », *Law and Society Review,* 24, 1990, p. 837-862.

Guillo, F. *Le P'tit Francis,* Paris, Robert Laffont, 1977.

Haas. H. *Agressions et victimisations : une enquête sur les délinquants violents et sexuels non détectés,* Aarau, Sauerländer, 2001.

Hagan, J. et B. McCarthy. *Mean Streets : Youth Crime and Homelessness,* Cambridge, Cambridge University Press, 1997.

Henni, A. et G. Marinet. *Cités hors-la-loi,* Paris, Ramsay, 2002.

Hobbes, T. *Léviathan,* Paris, Gallimard, coll. « Folio », 2000 (1re édition : 1651).

Hodgins, S. et G. Côté. « Prévalence des troubles mentaux chez les détenus des pénitenciers du Québec », *Santé mentale au Canada,* vol. 38, 1990, p. 1-5.

Jacobs, B. A. *Robbing Drug Dealers,* New York, Walter de Gruyter, 2000.

Jankowski, M. S. *Islands in the Street,* Berkeley, University of California Press, 1991.

KERSHAW, C., J. GOODMAN et S. WHITE. *Reconviction of Offenders Sentenced or Released from Prison in 1995*, Londres, Home Office, Research Finding, n° 101, 1999.

KHERFI, Y. et V. LE GOAZIOU. *Repris de justesse*, Paris, Syros, 2000.

KILLIAS, M. *Précis de criminologie*, 2e éd., Berne, Staemplfi. 2001 (1re éd. 1991).

KLEIN, M. « Offence Specialization and Versatility Among Juveniles », *British Journal of Criminology*, 24, 1984, p. 185-194.

LA PENNA, É. *Police Crackdowns : A Case Study of the Preparation and Effectiveness of a Drug Crackdown (Montreal. 1989)*, Rapport de stage de maîtrise, Faculté des études supérieures, École de criminologie, Université de Montréal. 1998.

LA PENNA, É., P. TREMBLAY et M. CHAREST. « Une évaluation rétrospective d'une opération coup-de-poing dans un quartier "sensible" », *Revue internationale de criminologie et de police technique et scientifique*, vol. 56, n° 2, 2003, p. 166-185.

LACOURSE, E., S. CÔTÉ, D. NAGIN, F. VITARO, M. BRENDGEN et R. TREMBLAY. « A Longitudinal-experimental Approach to Testing Theories of Antisocial Behavior Development », *Development and Psychopathology*, vol. 15, 2002, p. 909-924.

LACOURSE, E., D. NAGIN, R. E. TREMBLAY, F. VITARO et M. CLAES. « Developmental Trajectories of Boys' Delinquent Group Membership and Facilitation of Violent Behaviors During Adolescence », *Development and Psychopathology*, vol. 15, 2003, p. 183-197.

LATTIMORE, P. K., R. L. LINSTER et J. M. MACDONALD. « Risk of Death among Serious Young Offenders », *Journal of Research in Crime and Delinquency*, vol. 34, n° 2, 1997, p. 187-209.

LAUB, J. H. et R. J. SAMPSON. « Turning Points in the Life Course : Why Change Matters in the Study of Crime », *Criminology*, vol. 31, 1993, p. 301-325.

________. « Understanding Desistance from Crime », dans M. Tonry, ed. *Crime and Justice, A Review of Research.* Chicago, University of Chicago Press, vol. 28, 2001, p. 1-70.

________. *Shared Beginnings, Divergent Lives,* Cambrige, Harvard University Press, 2003.

LAUB, J. H. et G. E. VAILLANT. « Delinquency and Mortality : A 50-Year Follow-up Study of 1000 Delinquent and Nondelinquent Boys », *American Journal of Psychiatry*, vol. 157, 2000, p. 96-102.

LAURITSEN, J. L., R. J. SAMPSON et J. H. LAUB. « The Link Between Offending and Victimization among Adolescents », *Criminology*, vol. 29, n° 2, 1991, p. 265-292.

LAVIGNE, Y. *Hells Angels. Taking Care of Business,* Toronto, Deneau & Wayne, 1987.

LE BLANC, M. « Les comportements violents des adolescents : un phénomène particulier », dans J. Proulx, M. Cusson et M. Ouimet, dir. *Les Violences criminelles*, Québec, Presses de l'Université Laval, 1999.

________. *Mesure de l'adaptation sociale et personnelle des adolescents québécois. Manuel.* Montréal, École de psychoéducation, Université de Montréal, 2000.

________. « La conduite délinquante des adolescents : son développement et son explication », dans M. Le Blanc, M. Ouimet et D. Szabo, dir. *Traité de criminologie empirique,* 3e éd., Montréal, Presses de l'Université de Montréal, 2003.

LE BLANC, M. et M. FRÉCHETTE. *Male Criminal Activity from Childhood through Youth*, New York, Springer-Verlag, 1989.

LE BLANC, M. et N. LANCTÔT. « Le phénomène des bandes marginales, vers une vision réaliste grâce à une comparaison des années 1970 et 1990 », *Revue internationale de criminologie et de police technique*, vol. 48, n° 4, 1995, p. 414-427.

LE BRETON, D. *Conduites à risque,* Paris, Presses universitaires de France, 2002.

LEPOUTRE, D. *Cœur de banlieue,* Paris, Odile Jacob, 1997.

LE ROY LADURIE, E. *Le carnaval de Romans : de la Chandeleur au Mercredi des cendres 1579-1580.* Paris, Gallimard, 1979.

LOPEZ, G. et S. TZITZIS. *Dictionnaire des sciences criminelles*, Paris, Dalloz, 2004.

LUCAS, C. *Suerte. L'Exclusion volontaire,* Paris, Plon, coll. « Terre humaine », 1995 (2e éd. 2002).

LUSSIER, P. *Étude de la généralité et de la spécificité de l'activité criminelle des délinquants sexuels et des facteurs développementaux associés,* Thèse de doctorat, Faculté des études supérieures, École de criminologie, Université de Montréal, 2004.

LUSSIER, P., J. PROULX et M. LE BLANC, « Criminal Propensity, Deviant Sexual Interests and Criminal Activity of Sexual

Aggressors Against Women : A Comparison of Explanatory Models ». *Criminology*. vol. 43, n° 1, p. 249-282, 2005.

MACKENZIE, D. L. « Reducing the Criminal Activities of Known Offenders and Delinquents : Crime Prevention in the Courts and Corrections », dans L. Sherman, D. P. Farrington, B. C. Welsh et D. L. Mackenzie. *Evidence-Based Crime Prevention*, Londres et New York, Routledge, 2002, p. 330-404.

MATZA, D. *Delinquency and Drift*, New York, John Wiley, 1964.

MAURICE, P. *De la haine à la vie*, Paris, Le Cherche Midi et Gallimard, 2001.

MESRINE, J. *L'Instinct de mort*, Paris, J.C. Lattès, 1977.

MICHAUD, Y. *Changements dans la violence*, Paris, Odile Jacob, 2002.

MOFFITT, T. E., A. CASPI, M. RUTTER et P. A. SILVA. *Sex Differences in Antisocial Behaviour : Conduct Disorder, Delinquency, and Violence in the Dunedin Longitudinal Study*, Cambridge, Cambridge University Press, 2001.

MORSELLI, C., D. TANGUAY. et A.-M. LABALETTE. *Criminal Conflicts and Collective Violence : Biker-Related Account Settlements in Quebec, 1994-2001*, École de criminologie, Université de Montréal, 2004.

MORSELLI, C. et P. TREMBLAY. « Criminal Achievement, Offender Networks, and the Benefits of Low Self-Control », *Criminology*, vol. 42, n° 3, 2004 a, p. 773-804.

________. « Délinquance, performance et capital social : une théorie sociologique des carrières criminelles », *Criminologie*, vol. 37, n° 2, 2004 b, p. 89-120.

MUCCHIELLI, L. « L'enquête de la police judiciaire en matière d'homicide », *Questions Pénales*, CESDIP, vol. 17, n° 1, 2004.

MURGER, H. *Scènes de la vie de bohème*, Paris, Calmann-Lévy, 1850.

NAGIN, D. et R. PATERNOSTER. « Population Heterogeneity and State Dependence : State of the Evidence and Directions for Future Research », *Journal of Quantitative Criminology*, vol. 16, n° 2, 2000.

NAGIN, D. et R. E. TREMBLAY. « Trajectories of Boys Physical Aggression, Opposition and Hyperactivity on the Path to Physically Violent and Nonviolent Juvenile Delinquency », *Child Development*, vol. 70, n° 5, 1999, p. 1181-1196.

Newman, G. R. *Comparative Deviance. Perception and Law in Six Cultures,* New York, Elsevier, 1976.

Nicole, A. *Du viol au meurtre sexuel : appréhension du développement personnel et de la trajectoire criminelle,* Rapport de stage de maîtrise, Faculté des études supérieures, École de criminologie, Université de Montréal, 2002.

Nivon, H. *La Saga des Lyonnais. 1967-1977,* Paris, Le Cherche Midi, 2003.

Ouimet, M. « Les tendances de la criminalité au Québec : 1962-2001 », dans M. Le Blanc, M. Ouimet et D. Szabo, dir. *Traité de criminologie empirique*, 3e éd., Montréal, Presses de l'Université de Montréal, 2003.

________. *La Criminalité au Québec durant le vingtième siècle,* Québec, Presses de l'Université Laval, 2005.

Ouimet, M. et F. Fortin. « Les voies de fait au fil des jours et des saisons », dans J. Proulx, M. Cusson et M. Ouimet, dir. *Les Violences criminelles*, Québec, Presses de l'Université Laval, 1999, p. 243-264.

Ouimet, M. et M. Le Blanc. « Événements de vie et continuation de la carrière criminelle au cours de la jeunesse », *Revue internationale de criminologie et de police technique*, vol. 46, n° 3, 1993, p. 321-344.

Parent, G. A. *Policiers. Danger ou en danger ?* Laval, les Éditions du Méridien, 1993.

Paternoster, R. « The Deterrent Effect of the Perceived Certainty and Severity of Punishment », *Justice Quarterly*, vol. 4, 1987, p. 173-217.

Paternoster, R., R. Brame, R. Bachman et L. Sherman. « Do Fair Procedures Matter ? » *Law and Society Review,* vol. 31, 1997, p. 163-204.

Paternoster, R., L. E. Saltzman, G. P. Waldo et T. G. Chiricos. « Perceived Risk and Deterrence : Methodological Artifacts in Perceptual Deterrence », *Journal of Criminal Law and Criminology,* vol. 73, 1982, p. 1235-1258.

________. « Perceived Risk and Social Control : Do Sanctions Really Deter ? » *Law and Society Review*, vol. 17, 1983, p. 457-479.

Patterson, G. *Coercive Family Process,* Eugene, Or., Castalia, 1982.

Perreault, M., G. Bibeau. *La Gang : une chimère à apprivoiser.* Montréal, Boréal, 2003.

PINATEL, J. *Traité de droit pénal et de criminologie. T. III : La Criminologie,* Paris, Dalloz, 1975 (1re éd. 1963).

PINSONNEAULT P. « L'abandon de la carrière criminelle : quelques témoignages », *Criminologie*, vol. 18, n° 2, 1985, p. 85-116.

PIQUERO, A. R., D. P. FARRINGTON et A. BLUMSTEIN. « The Criminal Career Paradigm », dans M. Tonry, ed. *Crime and Justice, A Review of Research.* Chicago, University of Chicago Press, vol. 30, 2003, p. 359-505.

PRATT, T. C. et F. T. CULLEN. « The Empirical Status of Gottfredson and Hirsch's General Theory Crime : A Meta-Analysis », *Criminology,* vol. 38, n° 3, 2000, p. 931- 964.

PROULX, J., M. CUSSON, É. BEAUREGARD et A. NICOLE, dir. *Les Meurtriers sexuels,* Montréal, Presses de l'Université de Montréal, 2005.

PROVENÇAL, B. (en collaboration avec B. BOUTOT). *Big Ben,* Montréal, Domino, 1983.

RENNEVILLE, M. *Crime et folie,* Paris, Fayard, 2003.

ROBITAILLE, C. *Gains criminels et facteurs individuels de réussite : une réanalyse du sondage de 1978 de la Rand corporation,* Mémoire de maîtrise, Faculté des études supérieures, École de Criminologie, Université de Montréal, 2001.

________. « À qui profite le crime ? Les facteurs individuels de la réussite criminelle », *Criminologie*, vol. 37, n° 2, p. 33-62, 2004.

ROCHÉ, S. *La Délinquance des jeunes,* Paris, le Seuil, 2001.

________. *Tolérance zéro ?* Paris, Odile Jacob, 2002.

ROSSI, P. H. et R. A. BERK. « Varieties of normative consensus », *American Sociological Review,* 50, 1985, p. 333-347.

RUTTER, M., H. GILLER et A. HAGELL. *Antisocial Behavior by Young People,* Cambridge, Cambridge University Press, 1998.

SAINT-GERMAIN, J. *La Reynie et la police du Grand siècle,* Paris, Hachette, 1962.

SAMPSON, R. J. et J. H. LAUB. *Crime in the Making : Pathways and Turning Points through Life,* Cambridge, Harvard University Press, 1993.

________. « Life-Course Desisters ? Trajectories of Crime among Delinquent Boys Followed to Age 70 », *Criminology,* vol. 41, n° 3, 2003, p. 555-593.

SAMPSON, R. J. et J. L. LAURITSEN. « Deviant Lifestyles, Proximity to Crime, and the Offender-victim Link in Personal Violence », *Journal of Research in Crime and Delinquency*, vol. 27, 1990, p. 110-139.

SAMPSON, R. J., S. W. RAUDENBUSH et F. EARL. « Neighbourhoods and Violent Crime : A Multilevel Study of Collective Efficacy », *Science*, vol. 277, 1997, p. 1-7.

SANDERS. W. B. *Gangbangs and Drive-bys : Grounded Culture and Juvenile Gang Violence,* New York, Aldine, 1994.

SATTAR, G. *Deaths of Offenders in Prison and under Community Supervision*, Londres, Home Office, Home Office Research Study n° 231, 2001.

SELLIN, T. et M. E. WOLFGANG. *The Measurement of Delinquency,* New York, Wiley, 1964.

SHAW, C. R. *The Jack-Roller*, Chicago, University Of Chicago Press, 1930 (1966).

SHERMAN, L. « Police Crackdowns : Initial and Residual Deterrence », dans M. Tonry et N. Morris, eds. *Crime and Justice : An Annual Review of Research*, Chicago, University of Chicago Press, vol. 12, 1990, p. 1-49.

SHERMAN, L. et E. ECK. « Policing for Crime Prevention », dans W. Sherman, D. Farrington , B. C. Welsh et D. L. MacKenzie, dir. *Evidence-Based Crime Prevention,* Londres, Routledge, 2002.

SHERMAN, L. W. « Criminology and Criminalization : Defiance and the Science of the Criminal Sanction », *Annales Internationales de Criminologie*, vol. 31, n° 1-2, 1993, p. 79-93.

SHOVER. N. *Great Pretenders. Pursuits and Careers of Persistent Thieves,* Boulder, Colorado, Westview Press, 1996.

SIMARD, R. et M. VASTEL. *Le Neveu.* Montréal, Québec Amérique, 1987.

SMITH, P., C. GOGGIN et P. GENDREAU. *Effets de l'incarcération et des sanctions intermédiaires sur la récidive : effets généraux et différences individuelles. Rapport pour spécialistes*, Ottawa, Solliciteur général du Canada, 2002.

STAFFTORD, M. C. et M. WARR. « A Reconceptualization of General and Specific Deterrence », *Journal of Research in Crime and Delinquency*, vol. 30, n° 1, 1993, p. 123-135.

SUTHERLAND, E. A. et D. R. CRESSEY. *Principes de criminologie,* Paris, Cujas, 1966.

SUTTLES, G. D. *The Social Order of the Slum : Ethnicity and Territory in the Inner City,* Chicago, University of Chicago Press, 1968.

THOMAS D'AQUIN. *Somme théologique,* Paris et Tournai, Desclée (édition de la revue des Jeunes publiée entre 1925 et 1938).

THORNBERRY, T. P., M. D. KROHN, A. T. LIZOTTE et C. A. SMITH. *Gangs and Delinquency in Developmental Perspective,* Cambridge, Cambridge University Press, 2003.

THORNBERRY, T. P., A. LIZOTTE, M. KROHN, M. FARNWORTH et S. J. JANG. « Delinquent Peers, Beliefs, and Delinquent Behavior : a Longitudinal Test of Interactional Theory », *Criminology,* vol. 32, n° 1, 1994, p. 47-83.

TITTLE, C. *Sanctions and Social Deviance : The Question of Deterrence,* New York, Praeger, 1980.

TOURNIER, P., F.-L. MARY et C. PORTAS. « Devenir judiciaire d'une cohorte d'entrants en prison, après leur libération », *Questions pénales,* CESDIP, Bulletin d'information, vol. 10, n° 5, 1997.

TREMBLAY, P. *La Théorie des associations différentielles de Sutherland,* Montréal, École de criminologie, Université de Montréal, 2004, inédit.

TREMBLAY, P., C. LECLERC et M. BOUCHARD. *La Courbe de gravité des crimes*, Montréal, École de criminologie, 2004, inédit.

TREMBLAY, P. et C. MORSELLI. « Patterns in Criminal Achievement : Wilson and Abrahamse Revisited », *Criminology*, vol. 38, n° 2, 2000, p. 633.

TREMBLAY, P. et P.-P. PARÉ. « La "vida loca" : délinquance et destinée », *Criminologie,* vol. 35, n° 1, 2002, p. 25-52.

TREMBLAY, R. E. « Why Socialization Fails ? The Case of Chronic Physical Agression », dans B. B. Lahey, T. Moffitt et A. Caspi, dir. *The Causes of Conduct Disorder and Juvenile Deliquency,* New York, Guilford Press, 2003.

TREMBLAY, R. E., B. BOULERICE, P. HARDEN, P. MCDUFF, D. PERUSSE, R. PIHL et M. ZOCCOLILLO. « Les enfants du Canada deviennent-ils plus agressifs à l'approche de l'adolescence ? », dans *Grandir au Canada. Enquête longitudinale nationale sur les enfants et les jeunes*, Ottawa, Statistique Canada et Développement des ressources humaines Canada, 1996, p. 145-158.

Tremblay, R. E. et W. M. Craig. « Developmental Crime Prevention », dans M. Tonry et D. P. Farrington, dir. *Crime and Justice : A Review of Research*. vol. 19. *Building a Safer Society. Strategic Approaches to Crime Prevention,* Chicago, University of Chicago Press, 1995, p. 151-236.

Tremblay, R. E., C. Japel, D. Perusse, P. McDuff, M. Boivin, M. Zoccolillo et J. Monplaisir. « The search for the age of "onset" of physical aggression : Rousseau and Bandura revisited », *Criminal Behavior and Mental Health*, vol. 9, 1999, p. 8-23.

Tremblay, R. E., D. S. Nagin, J. Séguin, M. Zoccolillo, P. D. Zelazo, M. Boivin, D. Pérusse et C. Japel. « Physical Aggression During Early Childhood : Trajectories and Predictors », *Pediatrics*, vol. 114, n° 1, 2004, p. 43-50.

Tremblay, R. E., F. Vitaro, L. Bertrand, M. Le Blanc, H. Beauchesne, H. Boileau et L. David. « Parent and Child Training to Prevent Early Onset of Delinquency : The Montreal Longitudinal Experimental Study », dans J. McCord et R. E. Tremblay, dir. *Preventing Antisocial Behavior*, New York, Guildford Press, 1992, p. 117-138.

Tyler, T. R. *Why People Obey the Law ?* New Haven, Yale University Press, 1990.

———. « Procedural Justice, Legitimacy, and the Effective Rule of Law », dans M. Tonry, dir. *Crime and Justice : A Review of Research,* Chicago, University of Chicago Press, vol. 30, 2003, p. 283-358.

Vigil, J, D. *Barrio Gangs,* Austin, University of Texas Press, 1988.

Vitaro, F. et C. Gagnon, dir. *Prévention des problèmes d'adaptation chez les enfants et les adolescents,* 2 volumes, Sainte Foy, Presses de l'Université du Québec, 2000.

Warr, M. *Companions in Crime,* Cambridge, Cambridge University Press, 2002.

———. « Making Delinquent Friends : Adult Supervision and Children's Affiliation », *Criminology*. vol. 43, n° 1, p. 77-106, 2005.

Weatherburn, D. et B. Lind. *Delinquent-Prone Communities,* Cambridge, Cambridge University Press, 2001.

Wikström, P.-O. H. *Everyday Violence in Contemporary Sweden : Situational and Ecological Aspects,* Stockholm, National Council for Crime Prevention, Research Division, 1985.

West, D. J. et D. P. Farrington. *The Delinquent Way of Life,* Londres, Heinemann, 1977.

Wolfgang, M., R. M. Figlio et T. Sellin. *Delinquency in a Birth Cohort,* Chicago, University of Chicago Press, 1972.

Wolfgang, M., R. M. Figlio, P. E. Tracy et S. I. Singer. *The National Survey of Crime Severity.* Washington, U.S. Department of Justice, Bureau of Justice Statistics, 1985.

Wright, B. R. E., A. Caspi, T. E. Moffitt, R. A. Miech et P. A. Silva. « Reconsidering the Relationship Between SES and Delinquency : Causation but not Correlation », *Criminology,* vol. 37, n° 1, 1999, p. 175-194.

Wright, B. R. E., A. Caspi, T. E. Moffitt et R. Paternoster. « Does the Perceived Risk of Punishment Deter Criminally Prone Individuals ? Rational Choice, Self-Control, and Crime », *Journal of Research in Crime and Delinquency,* vol. 41, n° 1, 2004, p. 180-213.

Wright, R. T. et S. H. Decker. *Armed Robbers in Action,* Boston, Northeastern University Press, 1997.

Collection
Les Cahiers du Québec
(liste partielle)

80 Victor Teboul
Le Jour : *Émergence du libéralisme moderne au Québec*
Coll. Communications

81 André Brochu
L'Évasion tragique : essai sur les romans d'André Langevin
Coll. Littérature

82 Roland Chagnon
La Scientologie : une nouvelle religion de la puissance
Coll. Sociologie

83 Thomas R. Berger
Liberté fragile
Traduit de l'anglais par Marie-Cécile Brasseur
Coll. Science politique

84 Hélène Beauchamp
Le Théâtre pour enfants au Québec, 1950-1980
Coll. Littérature

85 Louis Massicotte et André Bernard
Le Scrutin au Québec : un miroir déformant
Coll. Science politique

86 Micheline D'Allaire
Les Dots des religieuses au Canada français, 1639-1800
Coll. Histoire

87 Louise Bail-Milot
Jean Papineau-Couture : la vie, la carrière et l'œuvre
Coll. Musique

88 Sylvie Depatie, Christian Dessureault et Mario Lalancette
Contributions à l'étude du Régime seigneurial canadien
Coll. Histoire

89 Robert Lahaise
Guy Delahaye et la modernité littéraire
Coll. Littérature

90 Yves Bélanger et Pierre Fournier
L'Entreprise québécoise : développement historique et dynamique contemporaine
Coll. Science politique

91 George P. Grant
Est-ce la fin du Canada ?
Traduit de l'anglais par Gaston Laurion
Coll. Sociologie

92 Guy Delahaye
Œuvres de Guy Delahaye
Présenté par Robert Lahaise
Coll. Documents littéraires

93 Denis Martin
Portraits des héros de la Nouvelle-France
Coll. Album

94 Patrick Imbert
L'Objectivité de la presse : le quatrième pouvoir en otage
Coll. Communications

95 *L'Image de la Révolution française au Québec, 1789-1989*
(en collaboration)
Coll. Histoire

96 Minnie Aodla Freeman
Ma vie chez les Qallunaat
Traduit de l'anglais par Marie-Cécile Brasseur et Daniel Séguin
Coll. Cultures amérindiennes

97 George Monro Grant
Le Québec pittoresque
Traduit de l'anglais par Pierre DesRuisseaux
Présenté par Robert Lahaise
Coll. Album

98 Michel Allard et Suzanne Boucher
Le Musée et l'école
Coll. Psychopédagogie

99 François Dollier de Casson
Histoire du Montréal
Nouvelle édition critique par Marcel Trudel et Marie Baboyant (épuisé)
Coll. Documents d'histoire

100 Marcel Trudel
Dictionnaire des esclaves et de leurs propriétaires au Canada français
(2e édition revue)
Coll. Histoire

101 Narcisse Henri Édouard Faucher de Saint-Maurice (1844-1897)
La Question du jour : Resterons-nous Français ?
Préface de Camille Laurin
Présenté par Michel Plourde
Coll. Documents littéraires

102 Lorraine Gadoury
La Noblesse de Nouvelle-France : familles et alliances
Coll. Histoire

103 Jacques Rivet en collaboration avec André Forgues et MichelSamson
La Mise en page de presse
Coll. Communications

104 Jean-Pierre Duquette et collaborateurs
Montréal, 1642-1992
Coll. Album

105 Denise Robillard
Paul-Émile Léger : évolution de sa pensée 1950-1967
Coll. Sociologie

106 Jean-Marc Larrue
Le Monument inattendu. Le Monument-National de Montréal, 1893-1993
Coll. Histoire

107 Louis-Edmond Hamelin
Le Rang d'habitat : le réel et l'imaginaire
Coll. Géographie

108 Evelyn Kolish
Nationalismes et conflits de droits : le débat du droit privé au Québec, 1760-1840
Coll. Histoire

109 Thérèse Hamel
Un siècle de formation des maîtres au Québec 1836-1939
Coll. Psychopédagogie

110 Collectif sous la direction de Robert Lahaise
Le Devoir : *reflet du Québec au 20e siècle*
Coll. Communications

111 Colette Dufresne-Tassé et André Lefebvre
Psychologie du visiteur de musée : contribution à l'éducation des adultes en milieu muséal
Coll. Psychopédagogie

112 Georges Croteau
Les Frères éducateurs, 1920-1965 : promotion des études supérieures et modernisation de l'enseignement public
Coll. Psychopédagogie

113 Pierre Camu
Le Saint-Laurent et les GrandsLacs au temps de la voile — 1608-1850
Coll. Géographie

114 Andrée Dufour
Tous à l'école : l'état des communautés rurales et scolarisation au Québec de 1826 à 1859
Coll. Psychopédagogie

115 Jean Paquin
Art, Public et Société : l'expérience des Maisons de la culture de Montréal
Coll. Sociologie

116 Suzanne Marchand
Rouge à lèvres et pantalon : des pratiques esthétiques féminines controversées au Québec, 1920-1939
Coll. Ethnologie

117 Charles Gill
Poésies complètes
Édition critique de Réginald Hamel
Coll. Documents littéraires

118 Émile Nelligan *et al.*
Franges d'autel
présenté par Réjean Robidoux
Coll. Documents littéraires

119 Suzanne Boucher et MichelAllard
Éduquer au musée : un modèle théorique de pédagogie muséale
Coll. Psychopédagogie

120 Lorraine Gadoury
La Famille dans son intimité. Échanges épistolaires au sein de l'élite canadienne du XVIIIe siècle
Coll. Histoire

121 Lorraine Bouchard
La Mariée au grand jour : mode, coutumes et usages au Québec, 1910-1960
Coll. Ethnologie

122 Marcel Trudel
Les Écolières des Ursulines de Québec, 1639-1686 Amérindiennes et Canadiennes
Coll. Histoire

123 Collectif sous la direction de Robert Lahaise
Québec 2000 Multiples visages d'une culture
Hors collection

124 Renée Joyal
Les Enfants, la société et l'État au Québec, 1608-1989
Coll. Droit et criminologie

125 Thérèse Hamel, Michel Morisset et Jacques Tondreau
De la terre à l'école : histoire de l'enseignement agricole au Québec, 1926-1969
Coll. Psychopédagogie

126 Marcel Trudel
Mythes et réalités dans l'histoire du Québec
Coll. Histoire

127 Brian Young
Le McCord
L'histoire d'un musée universitaire, 1921-1996
Coll. Éducation

128 André Brochu
Rêver la lune
L'imaginaire de Michel Tremblay dans les Chroniques du Plateau Mont-Royal
Coll. Littérature

129 Yves Théorêt
Le Fédéralisme et les communications.
Les relations intergouvernementales au Canada de 1984 à 1993
Coll. Communications et Science politique

130 Évelyne Tardy
Les Femmes et les conseils municipaux du Québec
Coll. Science politique

131 Louise Bail
Maryvonne Kendergi
La musique en partage
Coll. Musique

132 Louise Vigneault
Identité et modernité dans l'art au Québec
Borduas, Sullivan, Riopelle
Coll. Beaux-Arts

133 Jeanne Pomerleau
Corvées et quêtes
Un parcours au Canada français
Coll. Ethnologie

134 Marcel Trudel
La Nouvelle-France par les textes
Coll. Histoire

135 Évelyne Tardy *et al.*
Égalité hommes-femmes ?
Le militantisme au Québec :
le PQ et le PLQ
Coll. Science politique

136 Daniel Ducharme
Débat sur la génétique humaine au Québec.
Représentations et imaginaires sociaux
Coll. Sociologie

137 Pierre Camu
Le Saint-Laurent et les Grands Lacs au temps de la vapeur, 1850-1950
Coll. Géographie

138 Roseline Tremblay
L'Écrivain imaginaire
Essai sur le roman québécois
1960-1995
Coll. Littérature

139 Marcel Trudel
Deux siècles d'esclavage au Québec
Coll. Histoire

140 Maurizio Gatti
Littérature amérindienne du Québec
Écrits de langue française
Coll. Littérature

141 Marcel Trudel
Mythes et réalités dans l'histoire du Québec.
Tome II
Coll. Histoire

142 Michel Bock
Quand la nation débordait les frontières
Les minorités françaises dans la pensée de Lionel Groulx
Coll. Histoire

Achevé d'imprimer
en août deux mille cinq, sur les presses
de l'imprimerie Gauvin, Gatineau, Québec